紀雄

2040年の日本

GS
幻冬舎新書
681

はじめに：なぜ未来を考えるのか

未来は、いまと同じではない

仮にあなたが40歳であるとしよう。20年後には60歳になり、家族も歳をとる。子供たちは仕事に就いているだろう。

他方で、自分がいまと同じ職場でいまと同じように働いているわけではないだろうとも、漠然と考えている。また、自分や配偶者の健康状態が、いまと同じではないかもしれないとも考えているだろう。

このように、20年経てば自分や家族のメンバーがいまと同じではないとは、誰でも知っている。

ところが、そのときに社会全体がどうなっているかについては、はっきりとした見通しを持っていない人が多いのではないだろうか？　いまと同じ社会が続くと、無意識のうちに考えてしまう場合が多い。

つまり、自分と家族が歳をとるとは考えるが、社会が変化することは考えない。いまと同じ社会環境の中で、自分たちだけが歳をとっていくと考えてしまうのだ。

数カ月後や数年後であれば、社会の状況がいまとあまり変わらないと考えても、大きな間違いはない。しかし、10年後、20年後となれば、そうはいかない。社会の基本的な構造が大きく変わってしまうことが、十分にありうる。

いま多くの人が就いている職業は、なくなっているかもしれない。その半面で、いまでは想像もつかない新しい職業が登場しているかもしれない。

退職したら、年金で生活できると考えている人が多いかもしれないが、そうした生活が実現できるかどうか、分からない。病気になったときに、医療保険がどれだけの給付をしてくれるかも、定かではない。いまとは事情が大きく変わる可能性もある。

他方で、新しい医療技術が開発されて、いまは不治の病と考えられている病気が治療可能になるかもしれない。

だから、人生の長期計画を考えるにあたっては、日本と世界が将来どのような姿になっているかを予測する必要がある。専門分野や職業を選択する際には、こうした検討がきわめて重要な意味を持つ。

仕事の成果を上げるために、未来予測が不可欠

企業が事業を進めるにあたっても、未来に関する的確な見通しは不可欠だ。現在の経済環境が続くと考えて、これまでの事業を続けるのではなく、未来の世界がいまとは違うことを的確に見通し、それを先取りすることが必要だ。

未来の的確な見通しはいつの時代においても重要だが、技術革新のスピードが加速しているので、その重要性は、ますます強まった。ビジネスパーソンにとっては、未来の的確な見通しが、仕事の成果を決める。いまとは大きく違う環境の中で仕事をしているはずだからだ。

日本の将来は、必ずしも明るいものではない。それは、人口の高齢化が避けられないからだ。これは、労働力の減少や社会保障負担の増加という形で、将来の日本人の生活に重くのしかかってくる。他方で、新しい技術が開発されて、われわれの生活を豊かに

してくれるだろう。

10〜20年後の世界で、日本の地位はどうなっているだろうか？　世界をリードするのは、アメリカか中国か？　あるいは別の国か？

日本の産業構造は、いまとどれほど違うものになるか？　どのような新技術が利用できるのか？　あるいは、期待されている技術が本当に実現できるのか？

未来を覗ける水晶の玉がない以上、これらについて正確な情報を得るのは、不可能だ。しかし、さまざまな手法によっておおよその姿を摑むことは、不可能ではない。本書は、それによって未来を考える際の手助けになることを目的としている。対象とする時点はテーマによって差があるが、およそ10年後から20年後だ。

遠い未来のほうが見通しやすい面もある

10年後や20年後を考えると言うと、「明日のことさえ定かでないのに、そんなに遠い将来のことが分かるはずはない」と考える人がいるかもしれない。確かに、遠い将来になるほど、予測できない問題が多くなる。

しかし、実は、逆の側面もある。これは、とくに経済的な問題について言えることだ。短期的な成長率は、さまざまな要因に影響される。例えば、金利や為替レートの変動によって、大きな影響を受ける。こうした要因は見通しにくいので、短期経済予測はなかなか的中しない。

しかし、10年後、20年後という期間を考えれば、ランダムな変動は平均化され、長期的な趨勢《すうせい》だけが残る。その中には、かなり確実に予測できるものもある。その意味では、長期予測のほうが短期予測よりも確実な側面もある。つまり、10年後、20年後の経済の予測は、1年後の経済の予測より確実な面もあるのだ。本書が取り上げるのは、そのような側面だ。

予測できない「重大な事態」が起こることもある

長期の予測のほうが、短期より確かな面が多いと述べた。しかし、言うまでもないことだが、長期の予測が、あらゆる側面について可能であるわけではない。

私は半世紀前に21世紀の日本を予測する本を書いたが、その時に頭の隅にもなかったのは、中国だ。中国の動向が日本に大きな影響を与えることになるとは、想像もしていなかった。私が想像しなかっただけでなく、世界のほとんどの人が想像しなかった。

しかし、実際には、1980年代以降に500年の眠りから覚めて工業化にばく進し始めた中国が、日本の運命に決定的な影響を及ぼすことになった。

これと同じようなことが、将来も起こらないとは言えない。それによって、将来の世界がここで描いたのとはまったく異なるものになってしまうこともありうるだろう。

しかし、だからといって、未来を考えることに意味がないわけではない。変化が生じた時、できるだけ早くそれをキャッチし、それが従来描いていたシナリオにどのような影響を与えるかを考えるべきだ。

こうしたことを行なうためには、基本となるシナリオを持っていることが必要だ。それを、新しい情報を取り込んで修正していくのである。本書が、そうした意味での基本シナリオとしての役割を果たせることを望んでいる。

各章の構成

第1章では、将来の日本の経済成長率を考える。今後、年率1%の実質成長率を実現できるかどうかで、日本の将来は大きく変わる。例えば、社会保障の負担と受益を今後どのような水準に維持できるかは、成長率の違いでまったく異なるものになる。

日本では、今後も高齢化が進むため、労働力が減少せざるをえない。だから、よほどの努力をしないと、1%の実質成長率の実現は難しい。

人口の高齢化によって、労働力人口が減少する。そこで、技術進歩が経済成長を決める。とくに、デジタル化の推進が重要だ。これができれば、実質1%程度の成長ができる。ただし、2%の実質成長率は、難しいと考えられる。

それにもかかわらず、日本政府の長期推計では、さしたる根拠なしに、今後、2%程度の実質成長率が想定されている場合が多い。これは、財政や社会保障制度が抱える深刻な問題を覆い隠す結果になっている。

第2章では、未来の世界における日本の地位がどうなるかを見る。

中国は、経済規模でアメリカを抜いて世界一の経済大国になる。インドは高い成長率を続け、日本を抜いて、アメリカと拮抗する経済規模になる。

日本の一人当たりGDPは、すでに台湾より低くなり、アメリカの半分以下になった。今後は、アメリカとの賃金格差が拡大する可能性がある。

第3章では、社会保障の問題について論じる。将来予想される超高齢化社会では、医療や介護の問題が深刻化せざるをえない。

医療・介護部門が膨張し、他の産業は縮小する。だから、通常の衣食住に関しては、われわれの生活は貧しくならざるをえない。

医療・介護の問題はこのように深刻だが、医療技術の進歩が事態を改善してくれることが期待される。これが、第4章のテーマだ。未来の医療技術の4本の柱は、ナノマシーン、細胞療法、ゲノム編集、AIの応用だ。介護分野ではロボットの進化が期待される。また、メタバース医療も実現するだろう。

第5章では、メタバースについて見る。メタバースの可能性は、エンターテインメントだけではない。メタバース内での経済取引が可能になる可能性がある。しかし、契約違反への対処や課税など、難しい問題が多数ある。そうした問題を回避できる利用法としていかなるものがあるかを考える。また、この章では、NFT（Non-Fungible Token：非代替性トークン）について解説し、その重要性を評価する。

第6章では、自動車関連の技術進歩を見る。「レベル5」と言われる完全自動運転が実現すれば、社会に大きな変化が生じ、われわれの生活環境は大きく変わるだろう。自動車は保有するものではなく、必要になったときに呼び出して使う無人タクシーになる可能性がある。そうなると、駐車場が不要になるので、都市の土地利用が大きく変わるだろう。また、EVへの転換が必要だが、雇用に与える影響など、さまざまな問題がある。

第7章のテーマは、エネルギー問題だ。ここでは、原発に頼らず脱炭素を実現できるか?という問題を考える。

第8章では、以上で述べた以外の技術について見ることとする。まず、実現が容易でない技術として、どのようなものがあるかを見る。その代表が核融合発電だ。これが実用化されれば、エネルギー問題はほぼ解決と言えるのだが、少なくとも今後20年程度を見る限り、それを期待するのは無理なようだ。エネルギー関係では、早期の実現は難しいと考えられる技術が多い。未来予測は、SF小説を書くようにはいかないのだ。

この章ではさらに、フードテックの可能性、量子コンピュータや量子暗号について述べる。

第9章のテーマは、人材育成だ。将来に向けての成長に重要な役割を果たすべきデジタル化は、一向に進展しない。デジタル化を実現する基本は、人材の育成だ。ところが、日本の大学は、とくにコンピュータサイエンス分野で、世界に大きく立ち後れている。

これまで日本企業が得意だったOJT方式は、この分野では機能しない。政府の「デジタル田園都市国家構想」でこの後れを取り戻せるかどうかは、大いに疑問だ。

「おわりに」では、未来に対するわれわれの責任を改めて振り返る。

本書は、「ダイヤモンド・オンライン」「東洋経済オンライン」「現代ビジネス」などに公表したものを基として、大幅に加筆している。これらの連載にあたってお世話になった方々に御礼申し上げたい。本書の刊行にあたっては、幻冬舎編集部の四本恭子氏にお世話になった。御礼申し上げたい。

2022年10月

野口悠紀雄

2040年の日本／目次

第5章　メタバースと無人企業はどこまで広がるか

第8章 核融合発電、量子コンピュータの未来 236

かつての日本で、「黄金時代」は未来を意味した／未来は選択するもので、与えられるものではない／政治と行政の「近視眼的バイアス」をどう克服する？／われわれは、未来の世代に対する責任を果たしているか？

図版・DTP　美創

第1章　1%成長できるかどうかが、日本の未来を決める

1　なぜ経済成長が必要なのか

「成長率の違い」は絶大な差をもたらす

本章では、将来に向かって日本経済がどの程度成長できるかを検討する。

「成長、成長」と言うと、「そんなに成長を追い求めなくてもよいではないか」という意見が出てくるかもしれない。「日本は世界を征服しようなどと思わなくてもよい」「もっと豊かになろうなどと考えなくてもよい」「足るを知ることこそ重要だ」等々の意見があるだろう。

しかし、日本が今後とも成長できるか否かは、「今後の超高齢化社会において、高齢者を支えることができるか」という差し迫った必要性を満たせるかどうかを決める、最重要の条件なのである。例えば、成長率が0・5%になるか1%になるかによって、負担や受けられるサービスが大きく変わってくる。高齢者を支えるためには、成長がどうしても必要だ。

想定していた高い成長率が実現できないと、税収や保険料収入が確保できなくなる。社会保障政策をはじめとする、あらゆる施策の財源が確保できなくなるのだ。

成長率が1%と0・5%の差は大きい。とくに、20年後、40年後には、このいずれかで大変大きな差が生じる。1%成長と0・5%成長とでは、40年後には2割以上の差が生じる。1%成長を前提として収支計画を立て、実際には0・5%しか成長できなければ、一人当たりの負担は2割増える。あるいは、一人当たりの給付を2割減らさなければならなくなる。「分配なくして成長なし」と言われるが、実際には、「成長なくして分配なし」なのだ。

本章でこれから見るように、OECD（経済協力開発機構）の予測も日本政府の財政収支試算の予測も、将来の日本の経済成長率として、これまでの日本の成長率に比べれば、かなり高い成長率を想定している。

とりわけ、財政収支試算の見通しは、過去の実績に比べて楽観的すぎると言わざるをえない。過去の成長率から見て、ここで想定されているような成長を実現できるかどうかは、疑問だ。

財源は国債だけでは賄えない

「財源が足りないのであれば、国債で賄《まかな》えばよいだろう」という意見がある。こうした考えは、コロナの期間に強まった。大規模な財政支出が行なわれ、その財源のほとんどが国債発行で賄われた。日本でもそうだったし、アメリカを始めとする諸国でもそうだった。

そして、国債を大量発行したにもかかわらず、金利が上昇しなかった。それは、経済全体の需要が縮小していたからであるし、中央銀行が市中から巨額の国債を買い上げて金利上昇を抑えたからでもある。

この経験から、「財政支出の財源は、中央銀行が貨幣を発行して賄えばよい」というMMT（現代貨幣理論）の考えが正しいように思われた。

しかし、そうしたことは成立しない。これは、いまアメリカでインフレが発生していることから明らかだ。MMTは「インフレが起こらない限り」という限定条件つきで国債によるファイナンスを正当化しようとしたのだが、まさにその限定条件が成り立たないことが分かったのである。MMTのような無責任な考えではなく、正面から財源確保の問題に取り組まなければならない。

とくに成長が必要なのは、日本

以上で「成長」と言ったのは、景気の話ではない。景気刺激とは、供給能力を所与として（つまり、短期的な観点から）、需要を増やすことだ。ここで考えているのは、そうではなく、長期的な供給面のことである。

供給能力を高めることは、インフレを防ぐためにも重要な課題だ。人口が高齢化した社会はインフレに陥りやすい。労働力不足によって供給力が落ち込むからだ。これを克服する方法は、技術革新と労働力率の向上しかありえない。

この数年間、われわれは、コロナとインフレという問題に振り回されて、長期的な課題を忘れている。もちろんコロナもインフレも重要な問題だが、重要なことは他にもある。そして、この問題がとくに重要なのは、世界で最も深刻な高齢化に直面する日本においてなのである。

2 少子化の下で1％成長を実現できるか

OECDの長期予測は当たるか

日本は将来に向けて、どの程度の経済成長を実現できるだろうか？

いくつかの機関が、世界経済に関しての長期的な予測を行なっている。その中で最も詳細なデータが公表されているのが、ＯＥＣＤによる予測だ。(注1) まずこれを見ることとしよう。

日本とアメリカについて、２０６０年までの年平均実質潜在ＧＤＰ成長率を10年ごと

に区切って見ると、図表1－1に示すとおりだ。(注2)

日本の年平均実質GDP成長率は、2020年から2030年までの期間においては0・987％であり、過去の実績に比べて、かなり高くなっている（アメリカも過去より成長率が高まるが、日本はもっと顕著）。しかし、その後は成長率は低下し、年平均0・5％を下回るようになると予測されている。

日本の場合、過去の実質成長率の推移を示すと、図表1－2のとおりだ。

2000年から2021年までの平均は0・645％、2013年から2021年まではは0・44％、2015年から2021年まではは0・24％だ。

(注1) OECD, Long-term Economic Scenarios

(注2) この予測では、2015年基準の実質値を、2015年の購買力平価でドルに換算して示している。将来の為替レートがこのとおりに実現するとは限らないので、将来時点のGDPの絶対値を各国間で比較することに意味があるとは思えない。しかし、この指標による各国ごとの成長率は、各国通貨建ての実質値の成長率と同じ値になるはずなので、異なる国の値を比較することには意味がある。そこで、ここでは、成長率を比較している。

図表1-1　日本とアメリカの年平均実質潜在GDP成長率

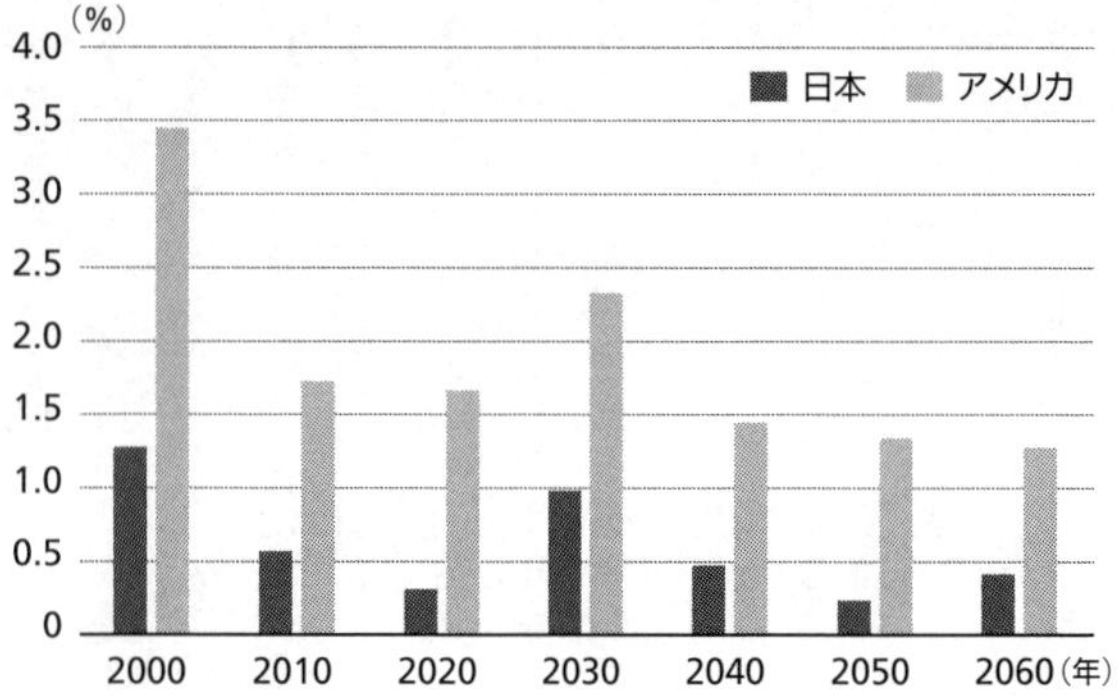

「2030」とあるのは、2020〜2030年の期間の年平均成長率を示す。

OECDのデータにより著者作成

図表1-2　日本の実質成長率の実績

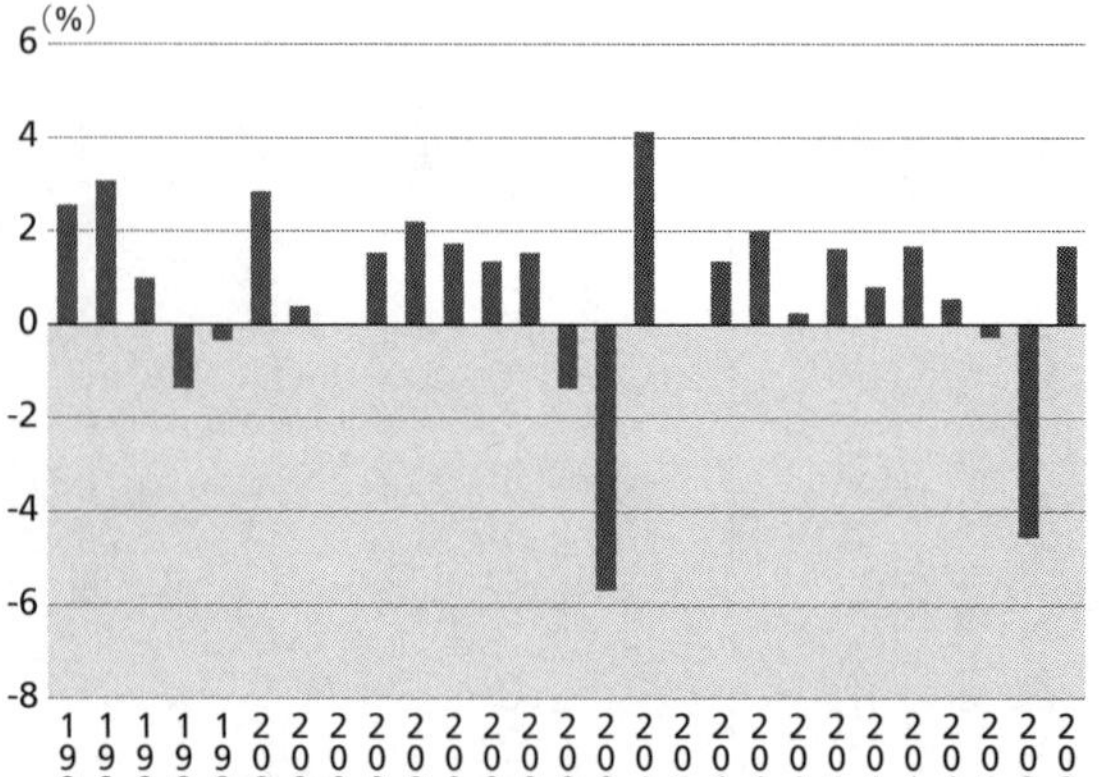

内閣府の資料により著者作成

これとの比較で言えば、ＯＥＣＤの予測は、「今後（とくに２０３０年頃まで）の日本は、過去に比べて高成長を実現する」としていることになる。もっとも、これは潜在成長率だから、実際にこれだけの成長率が実現できるかどうかは、分からない。

そうであっても、他国に比べると、日本の成長率は低い。ことに、アメリカと比べると低い。アメリカと日本の差は、今後拡大していくことになる（なお、他国との比較は、第２章で詳述する）。

財政収支試算では、2%を超える成長率を想定

日本でも、いくつかの中長期推計や見通しが行なわれている。

その一つとして、内閣府による「財政収支試算」（「中長期の経済財政に関する試算」、２０２２年7月）がある。この試算の目的は財政収支の予測だが、その前提として、出発時点から10年先までのマクロ経済の予測が行なわれている（２０２２年版では、２０３１年度まで）。

ここでは、２つのケースが想定されている。第一は、高めの成長率を見込む「成長実

現ケース」、第二は低めの成長率を見込む「ベースラインケース」だ。

実質成長率は「成長実現ケース」では、2023年度を除き、2026年度までは2%を超える高い率だ。その後も、2%に近い成長率が想定されている。「ベースラインケース」では、2026年度までは1%を超える率だ。その後も1%程度の成長率が想定されている。

なお、この推計では、潜在成長率の見通しも示されている。いずれのケースでも、実際の成長率は、潜在成長率と同じか、あるいは上回っている。

日本政府の多くの予測が、これをそのまま利用したり、外挿したりする形でなされているので、この予測は重要なものだ。

公的年金の財政検証の見通し

2019年8月に公表された「公的年金の財政検証」(厚生労働省)は、年金財政の収支計算の前提として、日本経済の長期見通しを行なっている。

2018年までは財政収支試算の計数を用い、それ以降の期間について、6通りのケースが想定されている。ケースⅠからケースⅢは、財政収支試算の「成長実現ケース」に接続するものであり、ケースⅣからケースⅥは、「ベースラインケース」に接続するものとなっている。

成長実現ケースでは、2029年度以降20～30年間の実質経済成長率が、0・4%から0・9%とされている。最も高い場合でも、財政収支試算の値よりは1%ポイント程度低下することになる。つまり、長期的には経済成長率が低下していくと予測されていることになる。

ベースラインケースでは、2029年度以降20～30年間の実質経済成長率が、マイナス0・5%から0・2%とされている。

このように、成長率がマイナスになることもありうると予測されているのだ。

民間の成長率の予測は、政府の見通しよりも低い

この他にも、いくつかの長期推計がなされている。

「今後の社会保障改革について―2040年を見据えて―」（厚生労働省）では、社会保障

費用の長期推計が行なわれており、『『2040年を見据えた社会保障の将来見通し（議論の素材）』等について」の「バックデータ全体まとめ」の「経済前提」にGDPの見通しの数字がある。

そこにある数字から計算すると、名目GDPの2018年度から2040年度の期間の平均成長率は、成長実現ケースで2・30％、ベースラインケースで1・50％だ。

また、民間研究機関の予測もある。三菱UFJリサーチ&コンサルティングは、「日本経済の中期見通し（2021～2030年度）」（2021年10月）において、実質GDP成長率を、2023～2025年度は0・5％、2026～2030年度は0・7％と予測している。

みずほ総合研究所は、「日本経済の中期見通し」（2018年7月）において、2025年度から2028年度の実質GDP成長率を0・9％と予測している。

このように、民間の予測は、政府の見通しよりは成長率を低めに評価している。政府と民間のどちらが現実的な見通しなのだろうか？　この問題は、本章の3節と4節で検討することとしよう。

3 高い成長率見通しは、深刻な問題を隠蔽する

実質成長率が1%か2%かで経済は大きく変わる

これまで述べたことをまとめれば、政府の多くの見通しは、つぎのような2つのシナリオを示している。

低成長シナリオは、実質成長率が1%程度だ。それに対して、高成長シナリオは、実質成長率が2%程度だ。

1%成長と2%成長とでは、10年経っただけで実質GDPの値は1割以上違ってくる。40年経てば5割程度も違う。公的年金のように長期の見通しが必要な分野では、これだけの差は、重大な違いをもたらす。

では、どちらが現実的なのだろうか？

明らかに低成長シナリオだ（それすらも実現できない可能性がある）。言い換えれば、「高成長シナリオは実現できない」ということだ。

財政収支試算が予測していた「2020年度の姿」

以下ではこれを財政収支試算について、具対的な形で見よう。

10年前に作られた「2010年の財政収支試算」(内閣府「経済財政の中長期試算」、2010年6月22日)においては、つぎの2つのシナリオが示された。

(1) 慎重シナリオ

2015～2023年度の実質成長率が1・1～1・2%、2020年度の名目GDPが571・9兆円

(2) 成長戦略シナリオ

2015～2023年度の実質成長率が2・1～2・4%、2020年度の名目GDPが661・2兆円

2010年において設定された目的は、「国・地方の基礎的財政収支(PB：プライマリーバランス)赤字の対GDP比を遅くとも2015年度までに半減(2010年度

の水準であるマイナス6・4%程度から、マイナス3・2%程度に）させ、遅くとも2020年度までに黒字化する」というものだった。(注)

試算の結論は、2020年度におけるプライマリーバランスが、つぎのようになるというものだった。

（1）慎重シナリオでは、21・7兆円の赤字、対名目GDP比がマイナス3・8%程度になる（つまり、黒字化できず、半減もできない）

（2）成長戦略シナリオでは、13・7兆円の赤字、対名目GDP比マイナス2・1%程度になる（つまり、黒字化はできないが、半減はできる）

このように、成長率の見通しが異なれば、結果はまったく違ってしまうのだ。

（注）「プライマリーバランス」とは、国債発行による収入や国債費を除いた財政収支。

「高成長」も「財政収支改善」も実現できず

では、実際にはどうなっただろうか？

「中長期の経済財政に関する試算」（２０２２年７月）によると、２０２０年の名目ＧＤＰは５３５・５兆円となっている。

したがって、２０１０年に描かれた将来像は、実現できなかったわけだ。２０２０年度経済見通しに示されている名目ＧＤＰの値は、「慎重シナリオ」が予測した値にも到達できなかった。

財政収支はどうなっただろうか？　２０２０年度の基礎的財政収支は48・8兆円の赤字で、対名目ＧＤＰ比はマイナス９・１％となっている。したがって、２０１０年の「慎重シナリオ」で描かれた将来像より悪化している。

低金利で財政収支問題が見えなくなっている

財政収支試算は、現在、ほとんど注目を集めていない。これは、「財政収支問題は深刻でない」と考えている人が多いからだろう。

しかし、それは、プライマリーバランスが改善しているからではない。国債費の負担が著しく軽減されているからだ。そうなるのは、長期金利が著しく低い水準に抑えられているからだ。

しかし、実質2%程度の成長が実現されるなら、いつまでもこうした状況が続くことはありえない。いずれ長期金利は上昇せざるをえない。

実際、財政収支試算も、長期金利は2029年度以降には2%を超え、2031年度には2・8%になるとしている（「成長実現ケース」）。そうなれば、国債費も増加せざるをえなくなる。

ただし、金利が上昇しても、すぐに国債の利払い費が増えるわけではない。新規発行と借り換えに伴って残高中の新金利国債が増加するにつれて、増えていくのだ。ところが、2022年財政収支試算は、2031年度までしか対象としていない。このため、国債費が増加する期間は対象外となっている。

このように、タイミングが巧妙に設定されているために、問題が見えなくなっているのだ。しかし、これは、財政の将来を考える場合にはきわめて深刻な問題だ。

「高成長」前提は、未来に対する責任放棄

以上のような問題があるにもかかわらず、財政収支試算は、実質的には同じ内容を、時点を変えて繰り返しているだけだ。「数年経てば、成長率は2％程度になる」として、開始時点と終了時点をずらしているだけのことなのだ。

もっとも、名称は変わっており、2010年の見通しで「慎重シナリオ」と「成長戦略シナリオ」と呼ばれていたものは、「ベースラインケース」と「成長実現ケース」となった。しかし、内容は基本的には同じだ。「成長実現ケース」で2％程度の実質成長率が想定されていることも変わらない。

この試算を始めてから10年経って分かったのは、「2％成長は不可能」ということだ。すでに10年経ったのだから、ここで一区切りつけなければならないだろう。

まず、「なぜ実現できなかったのか」を検証することだ。それを行なわずに、ただ機械的に将来に向かってこれまでと同じ計算を繰り返すだけでは、文字どおり「問題の先送り」にしかならない。

2％の実質成長は実現できないと分かったのだから、これに基づいた政策は、虚構以

外の何ものでもない。高成長シナリオは捨てなければならない。高成長シナリオを示すのであれば、その実現のために何が必要かを明らかにする必要がある。

日本の政策体系全体が、２％実質成長という虚構の土台の上に立っている。虚構は実現しないのだから、日本の政策は、将来に向かって維持することができないことになる。それは、未来に対する責任放棄以外の何ものでもない。

年金財政検証では「実質賃金」の見通しが異常に高い

すでに述べたように、公的年金の財政検証においては、実質成長率の低下が予測されているのだが、その反面で実質賃金の上昇率はかなり高く予測されている。どのケースにおいても、実質賃金の上昇率は、実質経済成長率より０・５％程度高くなっている。

過去数年の日本経済の実情を見ると、実質経済成長率はプラスだが、実質賃金上昇率はおしなべてマイナスだった。これを考えても、財政検証における実質賃金の想定の高さは異常だ。

実質賃金の伸びが高いと、保険料収入は増加するが、すでに受給中の年金額である「既裁定年金額」は増加しない。したがって、年金財政には有利に働くのだ。(注)

財政検証における実質賃金の高すぎる見通しは、年金財政における問題点を隠蔽する効果を持っていることに注意が必要だ。

(注) 正確に言うと、実質賃金上昇は年金支給総額を増やす。年金を受給し始めるときに裁定される年金額は、所得代替率を一定に保つように行なわれるので、賃金の伸び率と同じ率で増えるからだ。ただし、裁定された後は、インフレスライドで増えるのみだ。

4 日本経済の長期的な成長率を予測する

成長率を規定する3つの要因

一定の仮定の下で、経済成長に関するつぎのような基本式(以下、基本式Aと呼ぶ)を導くことができる。

実質経済成長率＝a（労働の成長率）＋（1－a）（資本ストックの成長率）＋（技術進歩率）

つまり、労働や資本ストックが増えれば経済が成長するが、その他に、技術進歩の影響もある。ここでaは労働の分配率だ。さまざまな実証分析の結果からa＝0・5～0・6程度と考えてよい。

これらについて、本節で詳しく見ることとするが、あらかじめおおよその見通しを述べると、つぎのとおりだ。

まず労働力。年齢別の労働力率が現在と変わらないとすると、今後の日本では、若年者が減少するために、労働力は大きく減少する。

これに対処するためにさまざまな施策が必要だが、それを行なったとしても、減少を食い止めるのがやっとだろう。現状維持が達成できれば大成功とも言える。悪くすると、労働力の減少率が平均年率で1％程度になってしまう可能性がある。

つぎに資本。しばらく前から、日本の設備投資は、ほぼ減価償却に見合った規模のものになっている。つまり、資本ストックは増えない状況にある。したがって、資本設備の寄与はゼロと考えるのが適切だ。

最後に、技術進歩率。これは、TFP（全要素生産性）とも呼ばれ、労働と資本では説明ができない成長要因だ。通常言われる意味の技術進歩だけでなく、その他のさまざまな要因が含まれている。中身がはっきりしないので、評価が大変難しいのだが、やり方次第では高めることができる。今後の日本の成長を決める最も大きな要因は、TFPだ。

とくに重要なのは、「デジタル化」とか「データ経済への移行」と呼ばれる変化に対応できるように、経済構造を変革していくことだ。それがうまくいけば、年率1％程度のTFP成長率を期待することも不可能ではない。

日本経済の長期的な成長率を評価する

基本式Aを用いて、日本経済の長期的な成長率を評価してみよう。

（イ）労働力人口の増加率はマイナス０・９％

国立社会保障・人口問題研究所が、将来人口の推計を行なっている。その結果（出生中位、死亡中位）を用い、年齢階層ごとの労働力率が現在と変わらないとして将来の労働人口を計算すると、つぎのようになる。

15〜65歳人口の年平均増加率は、２０２０〜２０３０年ではマイナス０・７４％、２０３０〜２０４０年ではマイナス１・３９％だ。２０２０〜２０４０年ではマイナス１・０７％になる。

ところが、厚生労働省「『２０４０年を見据えた社会保障の将来見通し（議論の素材）』等について」によると、就業者総数は、つぎのとおりだ。

２０１８年に６５８０万人、２０２５年に６３５３万人、２０４０年に５６５４万人。

したがって、年平均の増加率は、つぎのようになる。

２０１８年から２０２５年まではマイナス０・５％　２０２５年から２０４０年まではマイナス０・７７％。

これは、高齢者や女性の労働力化率の高まりを想定しているからだろう。その寄与が、0・2〜0・3%程度と見積もられていることになる。ただし、これだけでは、成長率はまだマイナスだ。

(ロ) 資本ストックの成長率はゼロ

国民経済計算によると、固定資本(工場、機械、店舗など)の名目値は、2010年以降の平均では、ほぼ0・9%の成長率で増えている。しかし、実質値で見ると、ほとんど増加していない。

「固定資本ストック・マトリックス(実質:連鎖方式)」によると、2015年連鎖価格での固定資産合計額は、ほとんど不変だ。2010年に1886兆円であったものが、2020年末で1905兆円になったにすぎない。10年間の増加率はわずか1%だ。

つまり、ここ10年程度の期間の日本の設備投資は、ほぼ、資本減耗(減価償却)を補塡するにすぎないものでしかなかったということだ。

したがって、今後を見通す場合も、資本ストックの成長率をゼロとすることが適切であろう。53ページの図表1－3に示すOECDの分析で「資本装備率（就業者一人当たりの資本ストック）」が増えているのは、すでに述べたように、就業者数が減少しているからだ。

なお、2019年公的年金財政検証では、資本ストックの増加率は、2020年には0・9％であり、2039年の0・2％まで徐々に低下していくとしている。

以上をまとめると、基本式Aから、「労働と資本の寄与による実質成長率は、マイナス0・4％程度」ということになる。先に、財政検証ではTFPを除いた場合の実質成長率は、マイナス0・3％からマイナス0・5％程度であると述べた。この中央値は、右の値とほぼ同じだ。

（ハ）技術進歩率は1％程度？

基本式Aの第3項の「技術進歩率」は、労働や資本で説明できない経済成長だ。この大きさをどのように想定するかによって、将来の経済成長率の値が大きく変わる。

これを考えなければすでに述べたようにマイナスだが、これを考えればプラスにすることができる。技術進歩のいかんで、プラス成長か、マイナス成長かが決まる。技術進歩が決定的に重要だ。

すでに述べたように、その中身は、通常言われる技術進歩だけでなく、規制緩和によって新しい事業ができるようになることなども含む。このように、ここにはさまざまなものが含まれるため、その見通しは非常に難しい。

過去のデータで計算しても、それは「労働や資本という明確に捉えられる要因による経済成長率と実際の経済成長率の差」として計算するだけなので、それが一体どのようなものであるかは分からない。ところが、このような要素が成長寄与要因の中で、最も重要な役割を果たすのだ。

公的年金の財政検証では、「『平成19年度年次経済財政報告』等において、1%程度の水準まで高まっているとの分析がある」ことを引用している。そして実際の計算では、0・7%から1・3%までの値を想定している。

以上をまとめると、2020〜2030年の期間について言えば、つぎのようになる。

労働力率が変わらなければ、人口の高齢化によって、労働力人口が減少する。平均年率で言えば、マイナス0・7〜1・0%程度だ。これを、女性と高齢者の労働力率の向上で、マイナス0・5%程度に抑えることができるだろう。他方で、資本ストックの増加率はほぼゼロだろう。

そこで、技術進歩、とくに「労働増大的技術進歩」が経済成長を決める。後述のように、これは、主としてデジタル化の進展によって決まるだろう。これができれば、実質1%程度の成長ができるだろう。ただし、2%の実質成長は、難しいと考えられる。

OECDによる成長要因分析

前項で行なったのと同じような分析が、OECDのThe Long View: Scenarios for the World Economy to 2060（2018）で行なわれている。

ここでは、一人当たり潜在GDPの成長をつぎの諸要素に分解し、各々についての定量的な予測を行なっている。前述の基本式Aと同じ考えだが、基本式Aが経済全体のGDPを対象としているのに対して、OECDの分析は一人当たり潜在GDPを対象としているため、つぎのように、やや異なる概念と言葉を用いている。

労働効率のトレンド、労働者一人当たり資本量（資本装備率）、潜在的雇用率、活動人口比率（生産年齢人口の比率）。

どの国でも最も重要なのは、「労働効率のトレンド」だ。これは、経済理論で「労働増大的技術進歩」（labor-augmenting technological progress）と呼ばれるものだ。

労働増大的技術進歩とは、それまで2人でやっていた仕事を一人でできるようになるというようなことだ。一人の労働者が2人分の仕事をできるようになるのだから、労働者数の減少を補うことができる。日本の場合、デジタル人材を育成し、業務のデジタル化を進めることによって、こうした技術進歩を実現することが必要だ。

日本の場合についての将来推計の数字を示すと、図表1－3のとおりだ。

まず、総人口に占める生産年齢人口が減少するため、「活動人口比率」の値がマイナスになる。つまり、経済成長率を引き下げる方向に働く。他国でもこの値はマイナスだが、日本の2030年までは、年率でマイナス0・5％と、絶対値が大きい。

これを、「潜在的雇用率の上昇」によってカバーする。これは、高齢者や女性の就業

図表1-3　一人当たりGDP成長率の要因分析

（年率、%）

	2000-07	2007-18	2018-30	2030-60
一人当たり潜在GDP	0.6	0.7	1.4	1.8
労働効率	0.5	0.6	1.1	1.4
資本装備率	0.5	0.0	0.2	0.7
潜在的雇用率	-0.1	0.5	0.6	0.1
活動人口比率	-0.3	-0.4	-0.5	-0.3

OECDのデータにより著者作成

率を高めることで実現する。

そして、資本装備率（0・2%）と労働効率の上昇（1・1%）によって、全体としての一人当たり潜在GDPの成長率を1・4%にする（一人当たりGDPを対象としているために、資本ストックの総量が増えなくても、資本装備率が上昇する）。この結果、日本の一人当たり潜在GDPの成長率は、過去の実績に比べてかなり高い値になる。

こうなることを望みたいのだが、本当にそうなるだろうか？　とくに、労働効率の上昇を実現できるだろうか？

OECDの予測で日本の将来の成長率がかなり高い値になっているのは、労働効率の上昇率が高く想定されているからだ。すでに述べたように、日本では、これはデジタル化の推進とほぼ同義である。

仮にデジタル化が進まず、労働効率が上昇しなければ、2018〜2030年の一人当たり潜在GDP（年率）は、1・4％ではなく、0・3（＝1・4－1・1）％に落ち込んでしまうだろう。

図表1－3の数値から計算すると、2020〜2030年の人口増加率はマイナス5・6％だ。年率だとマイナス0・55％なので、日本の一人当たりGDPはマイナス（0・3－0・55＝－0・25）成長になる。

デジタル人材の育成に向けて、リスキリングを強化できるか

図表1－3には示していないが、韓国や中国でも労働効率の上昇率は高い（30年までで、韓国1・3％、中国2・7％）。

ただし、これらの国では、過去の実績値も高かった（2007〜2018年において、韓国は1・3％、中国は4・2％）。だから、将来も高い値が実現する可能性が高い。

それに対して、日本の労働効率の実績値は、図表1－3に示すように低い。それをこ

れから高い値にする必要があるのだ。

これを実現するには、よほどの大きな改革が必要だろう。しかし、第9章3節で述べるように、政府が掲げる「デジタル田園都市国家構想」によって、必要な人材を本当に育成できるかどうかは疑問だ。

デジタル人材の育成に向けて、企業がリスキリングに乗り出す動きが始まっているが、そうした動きをさらに加速させる必要がある。

政府は「ゼロ成長のシナリオ」を示すべきだ

以上で示した成長率は、従来の長期見通しで想定されていた値よりは、かなり低めだ。このため、さまざまな政策の評価が変わってくる。

財政収支試算は、「いつになっても目標は達成できず、むしろ赤字は拡大する。財政危機は深刻化する」と読むべきだ。そして「財政健全化は、消費税の増税や社会保障費の思い切った削減を行なわない限り、実現できない」と読むべきだろう。

公的年金財政検証は、「所得代替率は引き下げざるをえず、年金財政は破綻する」と読むべきだろう。そして「それに対処するには支給開始年齢を70歳に引き上げる等の措置が必要になる」と読むべきだろう。

政府は、高い成長率を想定する場合には、なぜそのように考えてよいかを明示する必要がある。そうでなければ、将来予測は、深刻な問題を覆い隠す目くらましにしかならない。

また、参考ケースを示すのであれば、楽観的な見通しだけを示すのではなく、慎重な見通しをも示すことが望ましい。

右に述べたように、説明できる成長要因である労働と資本だけをとれば、多分マイナス成長になるのだ。だから、慎重な見通しを示すのであれば、ゼロ成長の場合にどうなるかを示さなければならない。

5 出生率低下は日本の将来にどんな影響を与えるか

日本は世界で最も高齢化が進んだ国

以上で見たように、労働力の推移は、長期的成長率に大きな影響を与える。そして、労働力の状況を決めるのは、人口動態の変化だ。そこで、本節では、人口構造がどのように変わるかを見ることとしよう。

65歳以上人口が総人口に占める比率を「高齢化率」と呼ぶことにしよう。日本の2020年の値は、28・7%だ。

他の国を見ると、アメリカ16・6%、イギリス18・7%、ドイツ21・7%、フランス24・1%、韓国15・8%などとなっている（総務省統計局『世界の統計2022』による）。日本は、これらの国に比べて、飛び抜けて高い。

新興国や開発途上国ではこの値は低いので、日本は世界で最も高齢化が進んだ国だ。日本経済から活力が奪われたとしばしば言われるが、その大きな原因が人口高齢化にあることは、間違いない。

かつては英米のほうが高齢化国

日本は、昔から高齢化率が高かったわけではない。図表1－4に示すように、198

図表1-4　高齢化率の推移

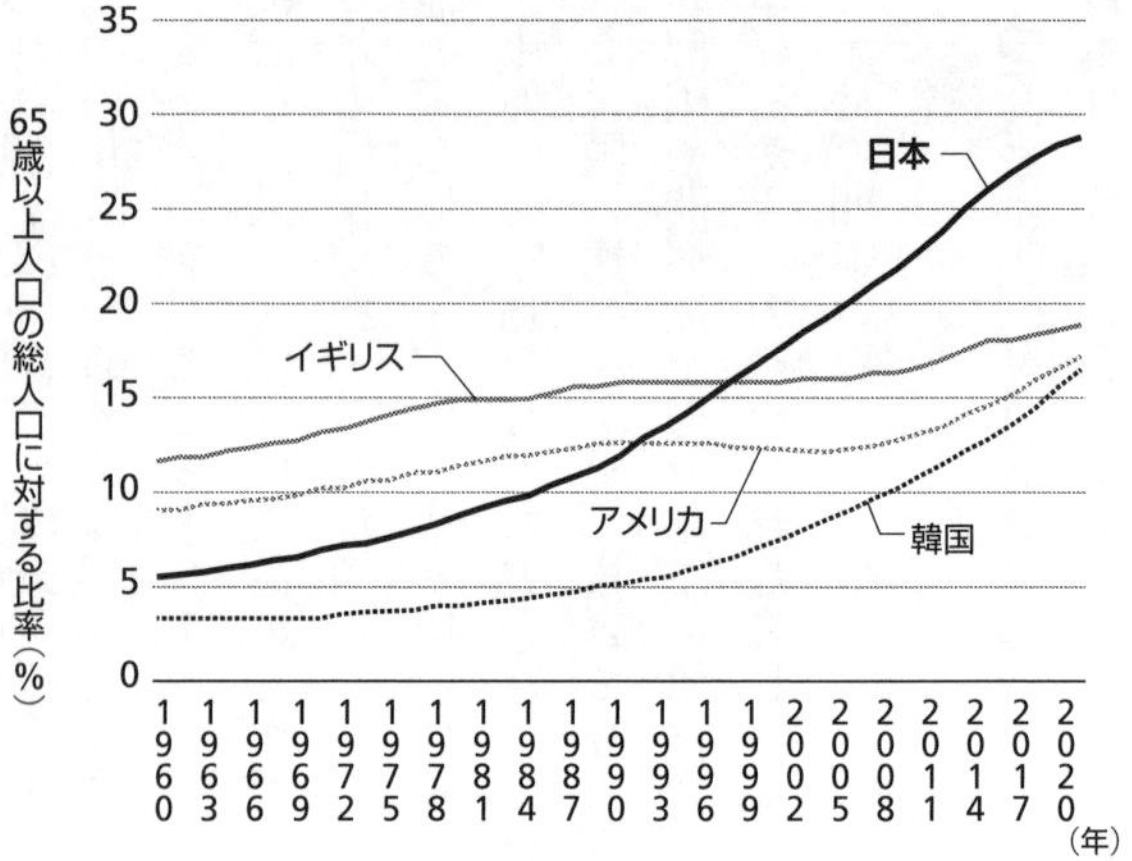

世界銀行のデータにより著者作成

0年代頃までは、イギリスやアメリカのほうが高かった。

とくに、イギリスが高かった。観光地に行くと、老人が多いのが印象的だった。それに対して、日本の観光地には若い人たちが多い。大きな違いだと思った。

当時は、「ジャパン・アズ・ナンバーワン」と賞賛されていた時代だ。そしてイギリスは、「イギリス病」で疲弊の極にあった。アメリカ経済もふるわず、アメリカ人は、「われわれの子供たちは、われわれより貧しくなる」と真剣に心配していた。

その当時の英米と日本との経済力の違

いをもたらした大きな原因が、人口構造の違いだったのだ。

ところが、1990年代の中頃以降、日本の高齢化率が急速に高まり、英米を抜いた。そして、この頃から、日本経済の長期停滞が始まった。なお、図表1－4には示していないが、多くのヨーロッパ諸国も、英米と同じような推移をたどっている。

出生率低下で、少子化がさらに深刻化

これまでも深刻であった日本の少子化が、さらに深刻化している。厚生労働省が2022年6月に発表した人口動態統計によると、2021年の日本の出生数は81・1万人で、1899年以降で最少となった。

国立社会保障・人口問題研究所が2017年に公表した将来推計は、3パターンの出生数を想定している。このうち通常使われるのは「中位」だが、そこでは、2021年の出生数を86・9万人としている。そして、「低位」（悲観的なシナリオ）では75・6万人としている。2021年の実際の出生数は、これらの中間の数字になった。

人口推計は、長期予測の基本となるものだ。これまでは、さまざまな政府見通しのほ

とんどが「中位推計」を用いていた。前記の結果を踏まえて、今後は、さまざまな長期推計の見直しが必要になるだろう。

出生率が低下しても、労働力人口や高齢者人口は変わらない

では、最近の出生率低下は、将来の日本にどのような影響を与えるだろうか？　とりわけ、人口高齢化との関係では、どうか？　出生率が低下すれば、人口高齢化がますます深刻化することは間違いない。では、いつ頃の時点において、いかなる影響を与えるだろうか？　以下では、仮に「低位推計」が現実化した場合に、高齢化率が「中位推計」からどのように変わるかを見ることとしよう。

実は、低位推計の結果を見ると、高齢者の数は、２０６０年頃まで見ても、出生率中位推計の場合と変わらないのだ。これは意外なことと思われるかもしれないが、つぎのように考えれば、当然であると分かるだろう。

２０６０年において65歳以上の人とは、１９９５年以前に生まれた人だ。その人たちは、２０４０年時点においては、すでに45歳以上になっている。だから、２０２０年に

出生率が低下しても、2060年の高齢者数は影響を受けないのである（ただし、死亡率がいまより低下すれば、総数が増えるなどの影響はある）。

現役世代人口（＝生産年齢人口＝15〜64歳人口）も、同様の理由によって、2030年までを見る限りは、ほとんど変わらない。2040年になって100万人程度減るだけだ。このように、今回の調査で分かった出生率の低下は、2040年頃までの高齢者数や労働力人口には、ほとんど影響を与えない。

しかし、以下に述べるように、これは、高齢化問題や労働力不足問題を楽観視してよいことを意味するものではない。出生率が中位推計のままでも、これらは深刻な問題だからである（それらについては、次項と第3章で詳しく見る）。

なお、出生率低下が、何の影響ももたらさないわけではない。影響はもちろんある。それは、0〜14歳人口が、これまで想定されていたよりは、2040年で2割程度減ることだ。これは、教育関係の諸事項には大きな影響を与えるだろう。

現在でもすでに、私立大学の定員割れが問題となっている。この問題は、今後さらに深刻さを増すだろう。

図表1-5　出生中位推計と低位推計の比較

	年	人　口(千人) 総数	0～14歳	15～64歳	65歳以上	割合(%) 0～14歳	15～64歳	65歳以上
出生中位	(2020)	125,325	15,075	74,058	36,192	12.0	59.1	28.9
	(2030)	119,125	13,212	68,754	37,160	11.1	57.7	31.2
	(2040)	110,919	11,936	59,777	39,206	10.8	53.9	35.3
出生低位	(2020)	125,016	14,767	74,058	36,192	11.8	59.2	28.9
	(2030)	117,600	11,686	68,754	37,160	9.9	58.5	31.6
	(2040)	108,329	10,274	58,850	39,206	9.5	54.3	36.2

資料：国立社会保障・人口問題研究所

社会保障制度を維持できるか

右に記したように、中位推計の場合でも、高齢化はきわめて深刻だ。それは、高齢者と現役世代の人口比を見れば、明らかだ。

図表1－5では「出生中位」と「出生低位」の比較を示したが、ここから分かるように、2020年には一人の高齢者をほぼ現役2人で支えていた。ところが、2040年にはほぼ1・5人で支えることになるのだ(注1)。

だから、仮に高齢者一人当たりの給付がBで変わらないとすれば、現役世代一人当たりの負担は、B／2からB／1・

5になる。つまり、0・5Bから0・67Bへと33・3%増えることになる。(注2) これは、大変な負担増だ。しかも、賃金は今後もさして伸びないと考えられるので、負担の痛みは、きわめて強いだろう。

後期高齢者医療制度では、すでに負担増が行なわれている。2022年10月1日から、医療機関の窓口で支払う医療費の自己負担割合が、これまでの「1割」または「3割」から、「1割」「2割」「3割」の3区分となった。一定以上所得のある人は、現役並み所得者（3割負担）を除き、自己負担割合が「2割」になる。

今後は、負担増だけで対処することはできず、給付を相当程度引き下げざるをえないだろう。年金については、支給開始年齢を、現在の65歳から70歳に引き上げるといった対策が必要になるだろう。

（注1）「出生中位」とは、出生率が2065年に1・44に収束していくとの仮定。「出生低位」では、1・25に収束する。なお、表1－5はいずれも死亡中位。
（注2）ここで示したのは概算である。正確な計算を、第3章の1節で行なっている。

なお、国民年金保険料を65歳まで納付する議論がスタートした。また、65歳以上の人の介護保険料（国の基準をもとに、市区町村が決める）を引き上げることも議論されている。これらの議論のゆくえも注目される。

2060年には現役世代人口と高齢者人口がほぼ同じに

右に、「低位推計でも、労働力人口は中位推計とあまり変わらない」と述べた。しかし、これは、2030年頃までのことである。これ以降になると、低位推計では労働力不足が中位推計の場合より深刻化する。

現役世代の総人口に対する比率は、現在は約6割だが、2060年頃には、これが約5割にまで低下する。そして高齢者人口とほぼ同数になる。

前項で述べたのと同じ計算を行なうと、現役世代一人当たりの負担は、B／2からBになる。つまり、高齢者の給付を不変とすれば、負担は0・5BからBへと2倍に増えることになる。このような制度は、到底維持できないだろう。

つまり、現在出生率が低下していることの結果は、40年後、50年後に、きわめて深刻な問題になるのだ。こうした条件の下で日本社会を維持し続けるための準備を、いまから行なう必要がある。

なお、ここでは社会保障制度を維持するための負担について考えたが、労働力の面から見ても、深刻な問題に直面する。これについては、第3章の2〜4節で見る。

出生率引き上げより、高齢者や女性の労働力率引き上げが重要

先に、「現時点で出生率が低下しても、高齢化率や労働力率が大幅に悪化するわけではない」と述べた。このことを逆に言えば、「仮に現時点において出生率を大幅に引き上げられたとしても、将来の高齢化問題や労働力不足問題が解決されるわけではない」ことを意味する。

出生率を高めることは、さまざまな意味において、日本の重要な課題だ。しかし、それによって社会保障問題や労働力不足問題が緩和されると期待してはならない。近い将来においては、0〜14歳人口が増えるために、問題はむしろ悪化するのである。

将来時点における労働力人口の減少に対処するのは重要な課題だが、そのためには、

出生率を引き上げることよりも、高齢者や女性の労働力率を上げることのほうが、はるかに大きな効果を持つ。

税制は労働力率に大きな影響を与える。とりわけ、配偶者控除が女性の労働力率にきわめて大きな影響を与える。税制度の設計にあたっては、将来の労働力不足問題を十分考慮に入れるべきだ。

これまで日本では、「103万円の壁」ということが言われていた。配偶者の給与収入が103万円を超えれば、配偶者控除を受けることができなくなるので、労働時間を抑えて働いていた人が多かったのである。

2018年の税制改正で、それまでの制度は変更された。配偶者の給与収入が103万円を超えても、150万円までなら配偶者控除と同額の配偶者特別控除を受けられ、201万5999円までであれば控除を段階的に受けられるようになったのである。

この改正に対応して、人々は労働時間を増やした。しかし、増えたのは非正規雇用だ。そして、増えたとはいえ、非正規の労働時間は、正規労働者に比べれば短い。したがって、一人当たりの平均賃金は、むしろ低下することになってしまった。

もともと、配偶者控除という制度は、「女性は専業主婦」という時代の名残だ。労働力が減少する社会において、このような制度が適当かどうかは、大いに疑問だ。こうした制度を変えなければ、女性の社会参加を本格的に増やすことはできないだろう。

また、新しい技術やビジネスモデルを採用して生産性を引き上げ、労働力不足を補うことが可能だ。超高齢化社会に対応するには、こうした施策を進める必要がある。さらに、外国からの移民を認めることも必要だ。

雇用延長で対処できるか

高齢者の労働力率は、これまでも上昇しつつある。また、年金支給開始年齢を65歳まで引き上げたことに対応して、政府は、65歳までの雇用を企業に求めている。今後、年金支給開始年齢を70歳に引き上げれば、70歳までの雇用延長を企業に求めることとなる可能性がある。

しかし、ここには、大きな問題がある。それは、日本の賃金体系では、50歳代までは賃金が上昇するが、60歳代になると急激に減少することだ。

組織から独立した形で高齢者が仕事をできるような仕組みを作る必要もあるだろう。単なる雇用延長だけでなく、こうした可能性をも含めた検討を進める必要がある。

◆第1章のまとめ

1．経済成長ばかり求めなくてもよいという意見がある。しかし、高齢化が進む日本では、賃金が増加しないと、社会保障を支えるための負担率が著しく高くなる。

2．OECDの予測では、2020年から2030年までの年平均実質成長率は0・9％だ。日本政府の財政収支試算は、2％を超える成長率を予測している。

3．日本政府のさまざまな長期見通しは、非現実的に高い成長率を見込むことによって、問題の深刻さを隠蔽している。財政収支試算には高成長シナリオが示されているが、これは到底実現できないものだ。そこで示された収支バランスも、実現されていない。

4．今後20年程度の日本の将来を考えた場合、労働力率が変わらなければ、人口の高齢化によって、労働力人口が減少する。平均年率で言えば、マイナス0・7～1・0％程度だ。女性と高齢者の労働力率の向上で、これをマイナス0・5％程度に抑えることが可能だろう。他方で、資本ストックの増加率は、ほぼゼロだ。

そこで、技術進歩、とくに「労働増大的技術進歩」が経済成長を決める。これは、主としてデジタル化の進展によって決まるだろう。これができれば、実質1％程度の成長が達成できる。ただし、2％の実質成長は、難しい。

5．日本の出生率が、政府がこれまで想定していたより大幅に低下し、歴史上最低値となった。しかし、20年後程度を問題とする限り、労働力人口などには、あまり大きな変化はもたらさない。それより、女性や高齢者の就業率を引き上げるほうが重要だ。

第2章　未来の世界で日本の地位はどうなるか

1　日本は豊かな国であり続けるが、新興国との差は縮まる

日本の人口は2050年までに2割減少する

第1章では日本の将来の経済成長率について考えた。この章では、将来の世界での日本の相対的な地位がどうなるかを見ることにしよう。未来の世界において、各国の経済規模や豊かさは、どのように変化するだろうか？

この問題を考える出発点は、各国別の人口の変化を知ることだ。国際連合が世界各国についての将来人口推計を行なっている（World Population Prospects）。その結果の

図表2-1　2050年までの人口の変化

（単位：千人）

年	アメリカ	日本	中国	韓国	インドネシア	インド	ブラジル
2020	331,003	126,146	1,439,324	51,269	273,524	1,380,004	212,559
2030	349,642	119,125	1,464,340	51,152	299,198	1,503,642	223,852
2040	366,572	110,919	1,449,031	49,784	318,638	1,592,692	229,059
2050	379,419	101,923	1,402,405	46,830	330,905	1,639,176	228,980
2050／2020	1.146	0.808	0.974	0.913	1.210	1.188	1.077

資料：国際連合

一部を示すと、図表2－1のとおりだ。

日本の人口は今後減少を続け、2040年には2020年の88％に減少する。2050年には、81％になる。

2050年の人口を2020年と比べると、韓国も91％に、中国も97％に減少するが、日本の減少ぶりは、それよりずっと激しい。

他方、人口が増加する国もある。2020年から2050年までの間に、インドは19％増、インドネシアは21％増だ。アメリカも15％増える。ブラジルは8％増だ。

図表2-2　主要国の実質潜在GDP

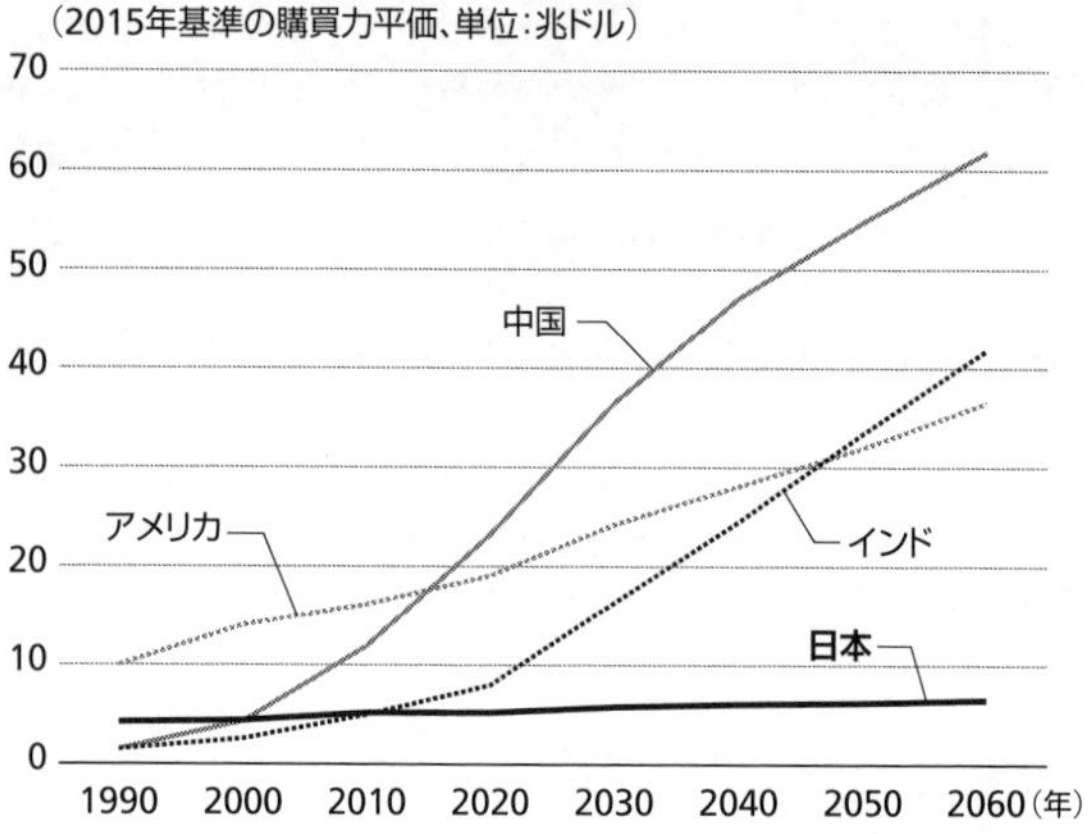

OECDの資料により著者作成

未来の世界では、
中国、インド、アメリカが経済大国

図表2－2には、OECDが2018年に行なった長期経済予測で計算されている主要国の実質潜在GDPの推移を示す（2015年基準実質値、2015年購買力平価による評価）。

中国は、今後もめざましい経済成長を続け、2060年のGDPは、2020年の2・64倍になる。2060年における中国の経済規模は、アメリカの1・70倍。日本の9・81倍だ。

インドの成長もめざましい。2040年代にアメリカを抜き、世界第2位の経済大国となる。

こうして、世界経済の中心が、欧米から中国、インドなどのアジアへと移行するだろう。世界経済の様相は、現在とはかなり異なるものになると考えられる。

これらの国が成長する中で、日本はほとんど成長しない。２０２０年との比較で言えば、２０４０年に１・１５倍、２０６０年に１・２４倍になるだけだ。この結果、世界経済の中での日本の比重は大きく低下する。

いまは、日本のＧＤＰを米中と比較することに意味がある。しかし、２０５０年、２０６０年には、日本のＧＤＰは米、中、インドのＧＤＰに比べると、取るに足らないような規模になる。

では、経済規模でなく、何によって日本は未来世界での存在感を発揮できるのか？

われわれは、それを真剣に考えなければならない。

これから豊かになるのは、どの国か

以上で見たのは、ＧＤＰの大きさだ。これが問題となることもある。その典型が、次節で述べる軍事費だ（武器の質が高くとも、量が少なければ勝てない）。しかし、多くの場合において、GDPの総額よりは、一人当たりGDPのほうが重要な意味を持っている。

人口増加率が高ければ、国全体の経済規模を表すGDPの成長率が高くなるのは、当然のことだ。だから、GDPの成長率よりは、豊かさを表す一人当たりGDPの成長率を問題とすべき場合のほうが多い。

OECDの長期推計によれば、2020年における各国の一人当たり潜在GDPは、図表2－3に示すとおりだ（単位：ドル／2015年基準実質値、2015年購買力平価による評価）。

日本は、ほぼ韓国と同程度の水準で増加を続ける。この図には示していないが、イギリスやドイツ、そしてOECD平均なども、ほぼ同じ傾向だ。

アメリカは、これらよりは一段高い値で成長を続ける。2020年にはアメリカは日本の1・46倍だったが、2060年には1・45倍になる。このように相対的な関係はほとんど変わらない。

図表2-3　一人当たり潜在GDPの推移

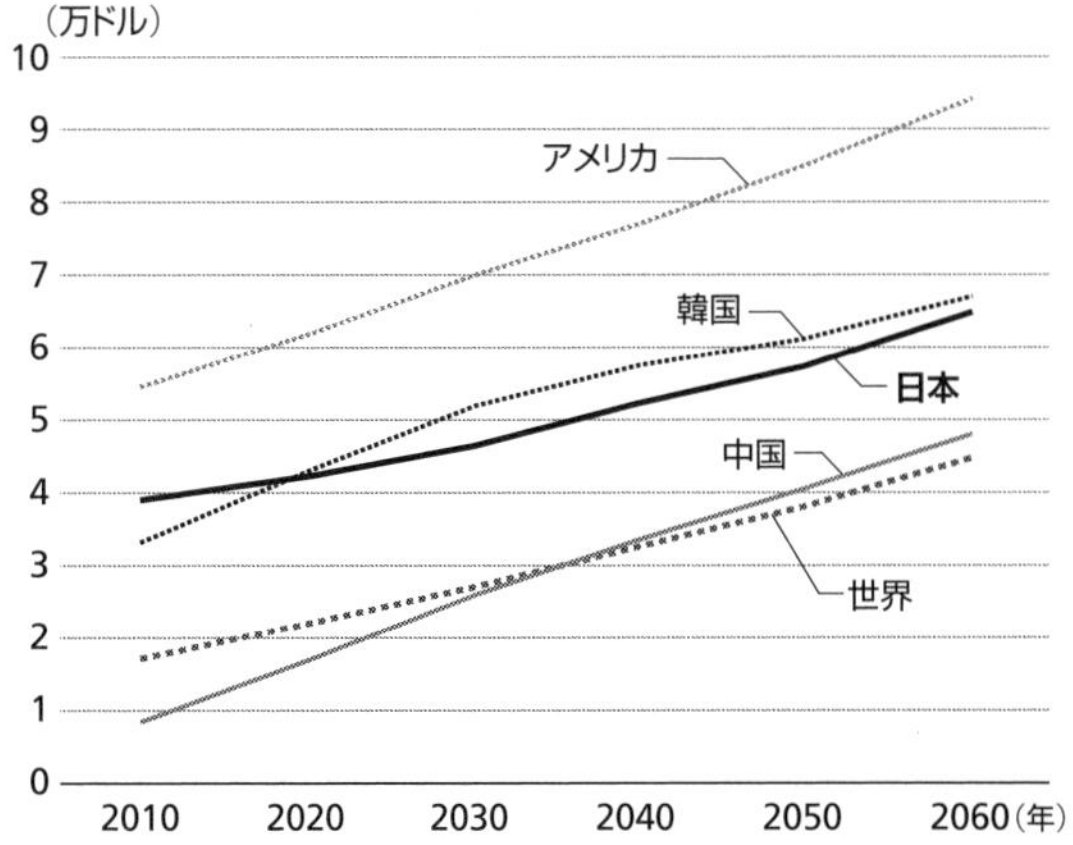

OECDのデータにより著者作成

なお、2060年において、アメリカの一人当たり潜在GDPは9万3588ドルだが、これより豊かな国もある。ルクセンブルク16万8712ドル、アイルランド14万1964ドル、スイス10万3918ドル、オランダ8万2382ドル、ノルウェー7万7453ドル、スウェーデン7万5834ドルなどだ。

日本は6万4686ドルなので、ルクセンブルクやアイルランドは、その2倍を超える高さだ。この他、オーストリア、オーストラリア、ベルギーなども、7万ドルを超える。

中国やインドと日本の所得格差が縮まる

日本が世界平均や中国やインドに比べて豊かな国であることは、40年経っても変わらない。一人当たり潜在GDPで見れば、中国もインドも、2060年になっても日本の水準より低いままだ。

ただし、格差は縮小することに注意が必要だ。中国の成長率は、世界平均とほぼ同じ値だが、それより若干成長率が高い。日本と比べてみると、2020年には日本の40・5%と半分以下だったが、2030年には55・2%と半分を超え、2060年には73・7%と約4分の3になる。

インドの一人当たり潜在GDPは、2020年には日本の19・0%でしかないが、2040年には34・0%となり、2060年には40・0%となる。

前項で述べたように、韓国は現在すでに日本と同程度の豊かさだ。また、シンガポールや香港はしばらく前から、日本よりずっと豊かだ。ただし、人口が少ないので、日本にとってそれほど大きな影響があるわけではない。

しかし中国やインドの場合には人口が巨大なので、その所得水準が日本と大差なくなることは、非常に大きな影響がある。

中国の高所得者層は、日本の平均よりもずっと豊かになるだろう。こうした人々が、日本の総人口を超える人数になると考えられる。

また、高度な専門家を日本に呼べないといった問題が生じる可能性がある。それだけではなく、一般的に外国人労働者の確保の点で日本が困難な状態に直面する可能性もある。

購買力平価での評価は、将来実現できない可能性も

これまで見てきたＯＥＣＤの推計は、潜在ＧＤＰ（potential GDP）を、購買力平価を用いて評価している。この結果を見るには注意が必要だ。これは専門的な問題を含んでいるのだが、重要なことなので、簡単に説明しておこう。

第一に、ここで計算しているのは、潜在ＧＤＰだ。これは、資本や労働などの生産要素が最大限に利用された場合に実現される総産出量だ。総需要が不足すれば、つまり需給ギャップがあれば、これを実現できないかもしれない。

第二に、ＯＥＣＤが算出している購買力平価とは、世界的な一物一価（同一の財やサービスの価格が世界どこでも同一になること）が成立するような為替レートのことである。そして、２０１５年における各国通貨の購買力平価を用いて、将来の値をドルに換算している。

ところが、市場為替レートは、かならずしも購買力平価とは一致しない。とくに、２０２２年春からのように市場為替レートが円安になってしまうと、そうなってしまう。

将来の市場為替レートを予測することはできないのだが、２０１５年の購買力平価より円安になる可能性は高い。

だから、ＯＥＣＤが予測する２０１５年購買力平価による一人当たり潜在ＧＤＰは、将来実現できない可能性が高い。その時点の市場為替レートで評価すれば、値は、これよりもずっと低くなる可能性が高いのだ。

その意味において、ＯＥＣＤの将来推計は、日本に関して言えば楽観的すぎるものになっていると思われる。

すでに述べたように、ＯＥＣＤ推計結果では、日本とドイツやイギリスとの相対的な関係はあまり変わらない。しかし、以上の点を考えると、将来における日本の相対的な地位は、もっと低くなる可能性が高い。

G7は先進国の集まりと言われているのだが、日本の経済力が将来も先進国の名にふさわしいものであるかどうかは、大いに疑問なのである。

また、日本と韓国の一人当たり潜在GDPは、すでに見たようにあまり変わらない値であると予測されているが、実際には日本の値が韓国よりも大幅に低くなる可能性も否定できない。

2　中国との関係構築は、きわめて重要だが難しい

巨大で特殊な国：中国

日本は、未来の世界において他の国々とどのような経済関係を築いていくべきか？

欧米諸国と日本との相対的な関係はいまとあまり変わらないので、それらの諸国との外交関係も、基本的には大きな変更はなく、現在の関係を発展させていくことになるだ

ろう。

問題は、新興国や発展途上国との関係が大きく変わることだ。これまで見たように、インドの経済発展が著しい。また、中国経済は今後もさらに巨大化していく。

とりわけ重要なのが中国だ。巨大であるだけでなく、特殊な統治体制を持つ国だからだ。中国との関係をどう築くかは、決して簡単な課題ではない。

中国の高額所得者は、日本よりずっと多くなる

これまでの日中貿易は、日本から資本財を輸出し、中国の安い労働力を用いて現地生産することが基本だった。日本が比較優位を持つのがハイテク資本財であることは、将来も変わらないだろう（例えば半導体の製造装置など）。

しかし、今後を見ると、消費財の輸出が増える可能性がある。なぜなら、中国の所得水準が上昇するからだ。すでに述べたように、中国の高額所得者の総数は、日本の人口よりずっと多くなる。だから、日本の生産者としては、中国の高所得者向けの製品を作ることにビジネスチャンスを見出す可能性がある。

こうした変化を前に、「ボリュームゾーン」の愚を繰り返すべきではない。「ボリュームゾーン」とは、2010年頃に、日本の製造業が目指すべき方向として経済産業省などから提唱されたもので、中間所得層がアジアに成長しつつあるため、アジアの消費市場としての魅力が今後高まるという考えだ。そのため、安価な家庭用電化製品などを大量に輸出しようとした。

しかし、こうした「安売り戦略」では、日本の経済力は低下するばかりだ。そうではなく、日本で設計し、東南アジアで生産して中国で販売するという形態を取る必要がある。このように、「ファブレス（工場のない製造業）」を目指すのが、一つの方向だ。

なお、中国においては、EV（電気自動車）への転換が進むだろう（詳しくは、第6章参照）。そのメーカーは、中国の企業になるだろう。つまり、日本の自動車メーカーは中国の自動車の市場を失う可能性が高い。

それだけではない。中国メーカーによるEVが日本市場にあふれる可能性がある。実際、中国のEVメーカー、BYDは、日本市場に進出しようとしている。

なお、BYDの時価総額は、フォルクスワーゲンを抜き、自動車メーカーとしては、テスラ、トヨタ自動車に次ぐ世界第3位だ。

中国政府によるデータ規制の強まり

中国の場合には、強権的な政府による恣意的な規制によって、経済活動が阻害される危険がある。これまでも、グーグルや楽天が、中国から撤退した例がある。最近では、コロナによる工場の閉鎖などがあった。

中国は、2020年12月に「輸出管理法」を施行した。これは、アメリカの対中貿易制裁に対する中国の対抗手段だ。直接の対象はアメリカの企業であり、日本企業ではない。しかし、日本企業は、これが恣意的に運用され、レアアース輸出が制限されることを危惧している。

また、中国は、2017年に施行されたサイバーセキュリティ法や、2021年に施行されたデータセキュリティ法によって、データの持ち出しを規制しようとしている。

ここでは、「重要情報インフラの運営者は、中国国内で運用され収集、生成された個人情報と重要データを、中国国内で保管しなければならない」と定めている。

このように、貿易に対する中国政府の介入が強まっている。

「リショアリング」はありうるか

以上のような条件を考慮した場合、中国からの「リショアリング（reshoring）」（中国に移した生産拠点を再び自国へ移し戻すこと）が進むだろうか？

中国での生産に支障が出たり、見直したりするというニュースが報じられている。アメリカEVメーカーのテスラは、中国の上海工場を拡張する計画を凍結した。中国で生産されたEVは、高率関税が上乗せされるため、テスラは中国での生産比率を抑える方針だ。

また、アップル製品の組み立てを受注して中国で生産している台湾のフォックスコンは、アップルの要請を受けて、iPadとMacBookの組み立ての一部を、中国からベトナムに移す計画だという。

しかし、現在の世界で、中国を抜きにしてサプライチェーンを構築するのは、不可能だ。そして、中国の重要性は、今後ますます強まる。

1950年代の冷戦時代には、自由主義諸国は、共産圏を経済的にボイコットした。しかし、今後の世界で中国をボイコットすることはできない。

アメリカのトランプ前大統領は、中国を敵視する戦略をとった。そして、世界的な経済活動から中国を締め出そうとし、中国からの輸入に対して高率の関税を課した。しかし、中国からの報復関税を招き、対中貿易収支はかえって悪化した。これは、基本的に誤った戦略だったと考えざるをえない。

中国と対峙するという発想では、解を見出すことができない、解は、いかにして中国との協同関係を作るかという方向にしかない。

実際、大勢としては、中国での事業を拡大する企業が多い。日本の輸入における中国の比率は上昇しているし、生産拠点、市場としての中国の重要性は高まっている。世界経済の対中依存は今後むしろ強まるだろう。

こうした状況で必要なのは、自由貿易主義の原点に立ち戻ることだ。実際、2010年に中国が日本へのレアアース輸出を制限した事件では、日本の対抗措置によって中国が自らの首を締めた(注)。

仮に、今後、輸出管理法などによって不合理な貿易規制が課された場合には、日本でなければ生産・提供できないような製品やサービスを武器にして戦うことだ。ただし、現状でそうした製品・サービスがあるかどうかは、疑問なしとしない。必要なのは、日本の技術水準を高めることである。

(注) 2010年9月、尖閣諸島で中国人船長が日本の海上保安庁に逮捕される事件があり、その後、中国からのレアアース輸出が規制された。

これに対して、日本企業は、都市鉱山(既存部品の廃品)からの回収や、リサイクルを行なった。さらに、より少ないレアアースで性能の良い製品を開発した。これにより、日本の中国へのレアアースの依存度は、2009年の86%から2015年には55%にまで低下した。レアアースの価格が急落したため、中国のレアアース生産企業は赤字に陥った。こうして、日中レアアース紛争は、日本の勝利に終わった。

3 GDPが日本の10倍になる中国と、どのように向き合うべきか

40年経てば世界は大きく変わる

図表2－4は、過去30年と今後40年の日米中のGDPの推移を示す（OECDの長期予測による）。これを見れば、日本人の誰もがショックを受けるだろう。

中国のGDPがすでに日本の数倍であること、今後も高い成長率で伸び続けることなどは、多くの人が知っている。

しかし、図表2－4に示す姿は、そうした常識を超えて、ショッキングだ。2060年、中国のGDPは、日本の約10倍になる（正確には、9・8倍）。米中に比べると、日本のGDPなど、見る影もない。

この図の左端に示す1990年頃、中国のGDPは日本より少なかった。2000年頃に、中国のGDPが日本とほぼ同じになった。この頃のことは、多くの人がまだよく覚えている。それから20年経ったいま、中国のGDPは日本の数倍になった。

しかし、2060年には、こうした比較が何の意味もないほどの異質な世界が出現す

図表2-4　日米中のGDP（購買力平価による比較）

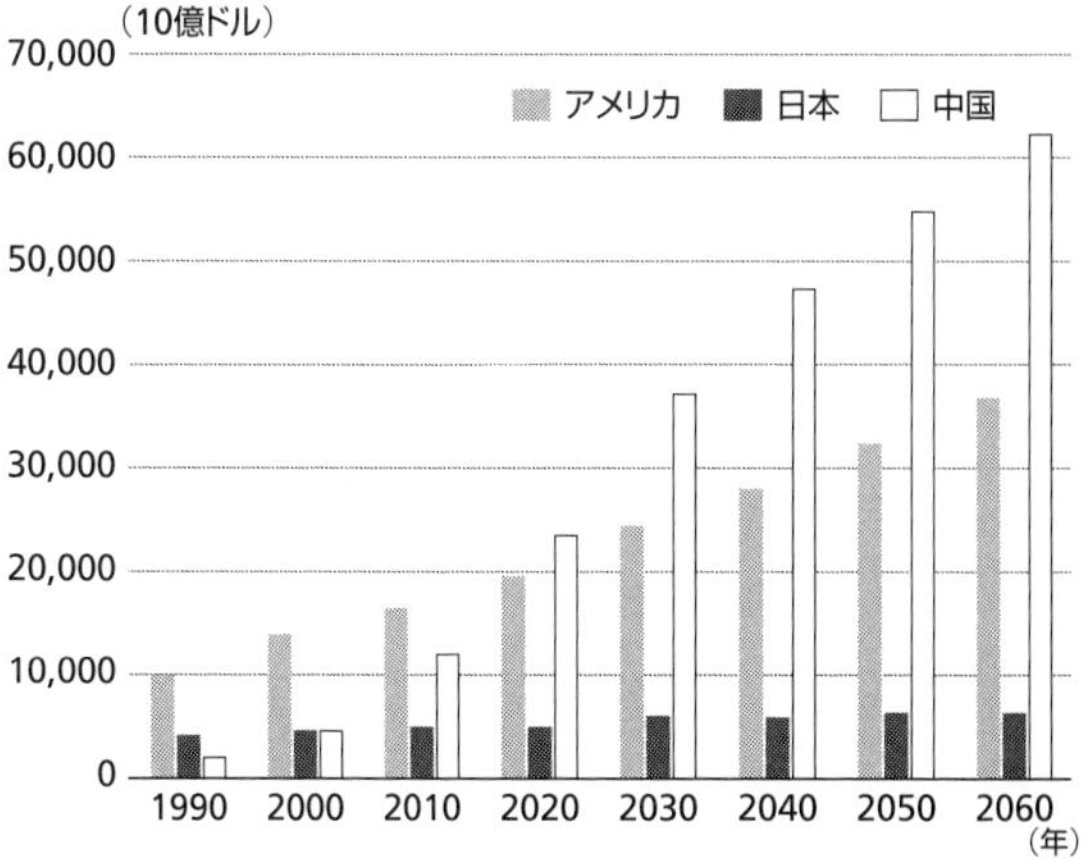

OECDのデータにより著者作成

るのだ。

２０２０年から２０６０年までの40年間に、日本のＧＤＰは７・２％しか増えない。増加額は４２５８億ドルだ。図表２－４では、ほとんど増えていないように見える。

それに対して、中国のＧＤＰは、この期間に１６４・３％増える。額では38・6兆ドルだ。

中国では、少子化によって、今後、労働力不足が顕在化するが、それでもこのように成長する。

図表2-5　日米中のGDP（市場為替レートによる比較）

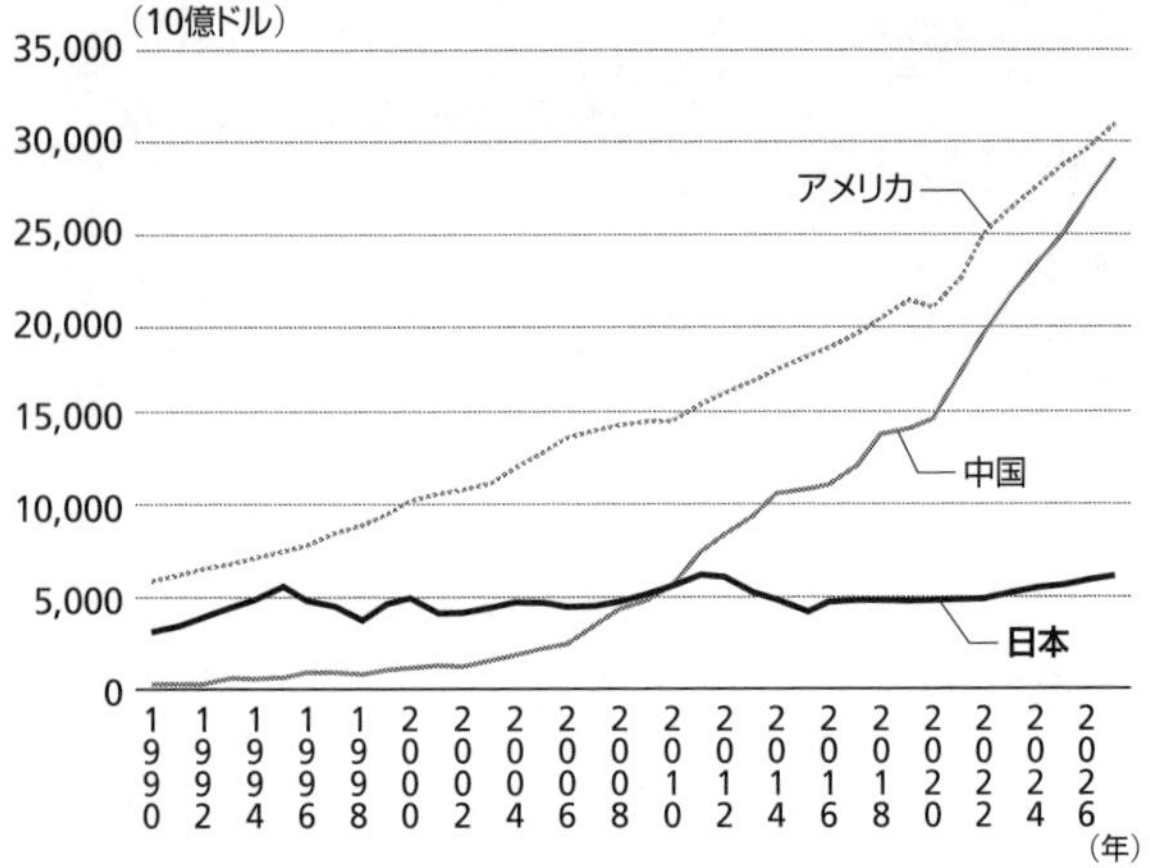

IMFのデータにより著者作成

市場為替レートでは、日中間格差は縮まる可能性

ところで、ここで注意しておきたいのは、図表2－4は、実質GDPを購買力平価で評価していることだ。

購買力平価による評価は、市場為替レートに比べると、新興国のGDPを大きく評価する傾向がある。

市場為替レートでGDPを比較してみると、図表2－5のとおりだ（IMFのデータベースによる）。中国のGDPは、図表2－4の場合より少なくなっている。

日本と中国のGDPが同規模になったのは、図表2－5では2010年のことだが、図表2－4では2000年のことだ。

どちらかの指標が誤りというわけではないのだが、各々がどのような意味のものであるかを正しく把握しておく必要がある。

日本が防衛費を増やすことに意味はあるのか

われわれは、中国の問題を考えるときに、将来のことであっても、無意識のうちに、現在と同じような大きさの中国を想定する。

しかし、図表2－4に示す将来の姿は、さまざまな面で、われわれの常識的な考えに本質的な変更を迫る。

これは、まず、安全保障の問題において重要な意味を持つ。

中国の脅威が高まっていることから、防衛費を増額する必要があるという議論が日本で強まっている。具体的には、防衛費を、これまでのようにGDPの1％に抑えるのではなく、2％に引き上げる必要があるとの議論が起こっている。

しかし、中国のGDPが日本よりこれだけ大きくなってしまえば、日本が防衛費をG

DPの1%から2%にしたところで、どれだけの意味があるだろうか?日本のGDPの1%は、2060年においては、中国のGDPの0・1%にすぎない。これだけの防衛費増額がどの程度の効果があるかを、冷静に判断すべきだ。

国防の基礎は経済力だと言われる。そのこと自体は将来も正しいが、これだけ経済規模が開いてしまっては、その意味を考え直す必要がある。

第一に、安全保障を単なる軍事力の問題として捉えるのではなく、より広範に捉えるべきだ。今後の安全保障は、何よりも外交の問題だ。そして、広範囲の国を含む集団安全保障の問題として考えざるをえない。つまり、全世界的な規模での対中安全保障が必要なのだ。

すでにQUAD(日米豪印戦略対話)などの取り組みがあるが、こうした対応を、さらに範囲を広げて積極的に行なうことが必要だろう。

これから日本は何を目指すべきか

日本がこれまで経済大国だったのは、経済規模が大きかったからだ。しかし、日本がいくら大きくなっても、今後の中国とアメリカの成長を前にしては、もはや何の意味も持たない。

図表2－4が明確に示しているのは、日本は「大きさ」に代わる何かを見出さない限り、世界経済の中で生き延びられないということだ。

1990年頃、日本のGDPは、アメリカや中国と同じような大きさだった。だから、アメリカや中国は日本を無視することができなかった。しかし、2060年においては、中国やアメリカから見れば、大きさの点では、日本はゴミのような存在になってしまうのだ。

しかし、そうであっても、日本の役割がなくなるわけではない。これまでの世界においても、北欧諸国は経済規模は小さかったが、世界経済の中で重要な役割を担ってきた。それと同じようなことを、日本が見出していかなければならない。日本が世界経済に不可欠なものを持てるかどうかが、問われることになる。

4 急激な円安で、日本は台湾より貧しい国になった

円の購買力は60年代の水準にまで逆戻りした

2022年になって、信じられないほどのスピードで円安が続いた。年の初めには1ドル＝115円程度であったが、7月14日には139円となった。10月20日には、一時150円台となった。他の通貨も減価している場合が多いが、円の減価ぶりは際立っている。

このため、ドル換算したさまざまなデータの値が大きく変わり、世界での日本の地位が大きく低下している。

円の購買力を示す「実質実効レート」は、図表2－6に示すとおりだ。2022年5月では、61・77。これは、1971年頃とほぼ同じ水準だ。9月には、50台になってしまった。

この指数は2010年を100とするものなので、そのときに比べて、円の購買力が半分近くに減ってしまったことになる。1ドル140円台になると、60年代の値にまで

図表2-6　市場為替レートと実質実効為替レートの推移（各年の1月）

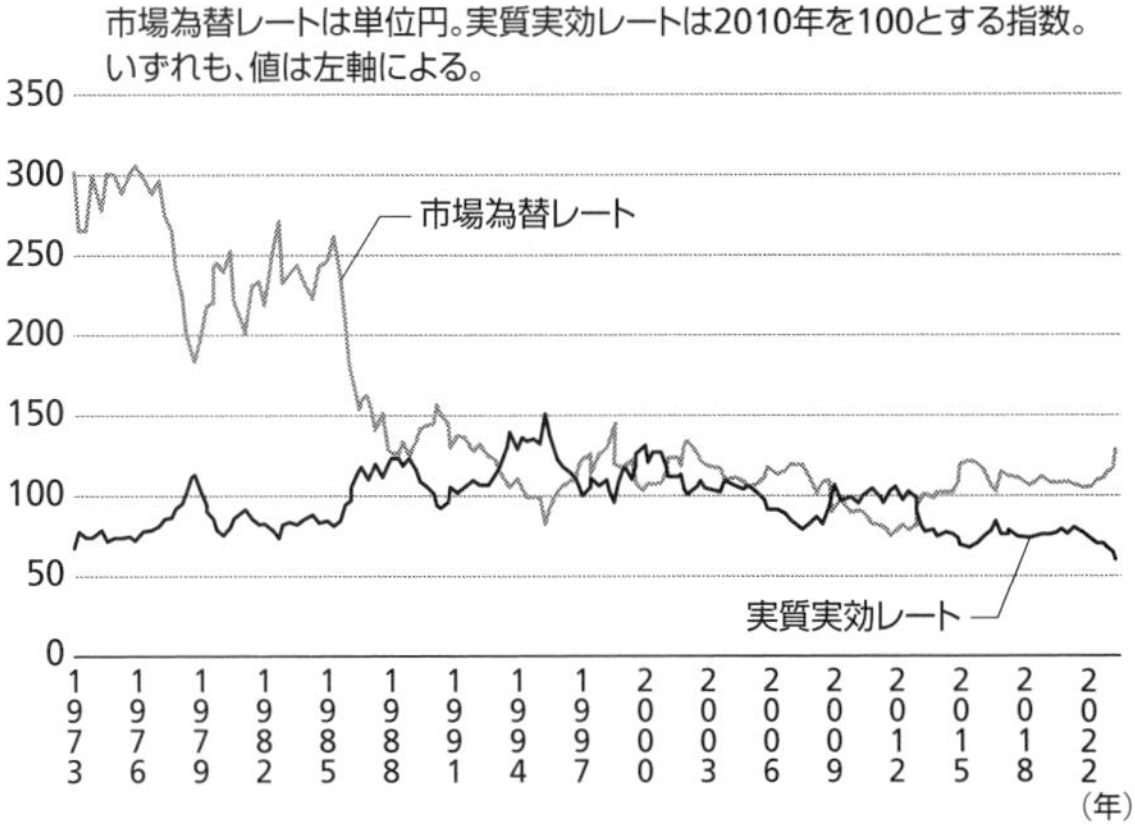

資料：日本銀行

低下してしまう可能性がある。

一人当たりGDPで、日本は台湾に抜かれた

豊かさを表す指標である一人当たりGDPの順位も、為替レートの変動で大きく変わっている。

2022年10月に公表されたIMF（国際通貨基金）の世界経済見通しによると、2022年の一人当たりGDPは、台湾が3万5513ドルとなり、日本の3万4347ドルを超えた。韓国や台湾の賃金上昇率は高いため、一人当たりGDPでいずれ日本を追い抜くと予想され

図表2-7　4カ国の一人当たりGDPの推移

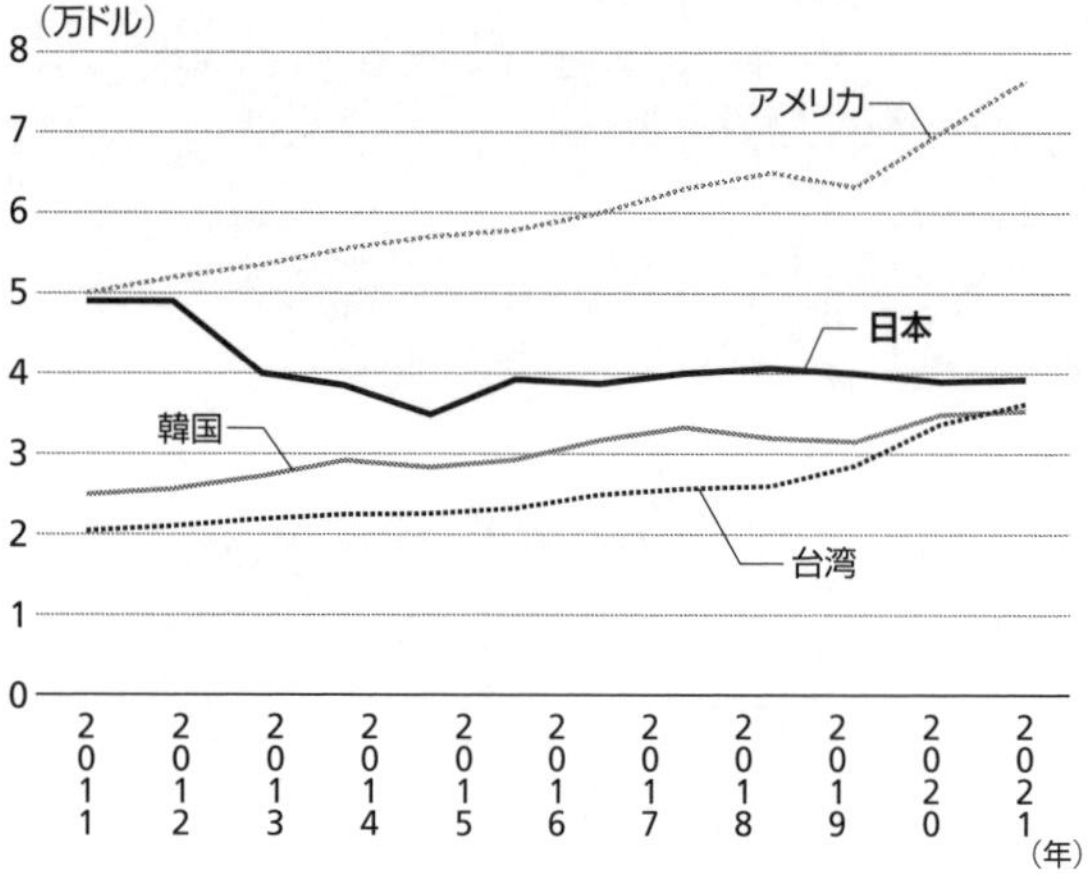

IMFのデータより著者作成

ていたのだが、円安によってその実現が早まってしまったことになる（韓国は、3万3591ドル）。

なお、アメリカの一人当たりGDPは7万5179ドルだ。日本は、この46％でしかない。2020年には、日本の一人当たりGDPは、アメリカの6割強だった。わずか2年の間に、日本はアメリカの半分にも届かなくなってしまったのだ。

アベノミクスが始まる前の2012年の数字を見ると、日本の一人当たりGDPはアメリカと同程度であり、韓国の約2倍だった（図表2-7参照）。

この10年間にきわめて大きな変化が起きたことが分かる。

日韓の賃金格差がさらに拡大

賃金について、ＯＥＣＤが国際比較のデータを公表している。それによると、２０２1年における自国通貨建ての額（年収）は、日本が４４４万円、韓国が４２５４万ウォン、アメリカが7万４７３7ドルだ。

これを1ドル＝１４０円の為替レートで換算すると、日本が3万１７１４ドル、韓国が3万２３２４ドルとなる。賃金については、数年前から韓国の水準が日本を上回っていたのだが、その差が拡大したことになる。また、日本の値は、アメリカの半分にもならない。

企業の時価総額を見ても、日本が立ち後れている。日本のトップであるトヨタ自動車は、世界第44位で１９５6億ドルだ。これに対して、台湾の半導体製造会社ＴＳＭＣは、世界第15位で３７０４億ドル、韓国のサムスン電子は世界第21位で３２０９億ドルだ（２０２２年11月中旬）。

賃金が上がらなくても、iPhone は値上がりする

以上で述べたことは、数字上のものにすぎず、実際の経済活動や生活には関わりがないと考える人がいるかもしれない。円の購買力がいかに低下しようと、日本で生活している限り関係はないと考えている人がいるかもしれない。

しかしそうではない。円安によって、日本国内の物価は上昇している。他方、賃金は上がらないので、日本人の暮らしは日に日に厳しくなっている。

日本国内で生産できないものの価格は、円安によって確実に上昇している。それを端的に示すのが、iPhone の値上げだ。

アメリカでの価格は変わっていないので、これは円安の調整だ。日本の価格をそれまでと変えないでいると、ドル建てでは割安になってしまう。そして、国際的な一物一価が成立しなくなるので、国際的な転売が生じる可能性がある。それを防ごうというものだ。実際、値上げ率は、円の減価率とほぼ同じだ。

iPhoneでは、国際的な「一物一価」が成立する

なお、この点で、iPhoneとビッグマックは対照的だ。ビッグマックの場合には国際的な転売は起こらないので、国際的な一物一価が成立せず、賃金の低い国でビッグマック価格が安くなる傾向がある。「ビッグマック指数」とは、現実の為替レートと国際的な一物一価を成立させる為替レートとの比率だ。

それに対して、iPhoneのように国際的転売が可能な場合には、日本の賃金が低くても、価格が値上がりしてしまうのである。

「安い日本」は、賃金や一人当たりGDPについては、依然として続いている。しかし、国際的に移動できるモノやサービスについては、状況が大きく変わってきているのだ。そして、「賃金は低いが、物価は高い日本」になりつつある。

日本で作れないものは、iPhoneだけではない。最先端半導体も作ることができない。だから、そうしたものは、従来よりは高い価格で買わなければならない。円安がさらに進めば、こうしたものは高すぎて、日本には買えなくなるかもしれない。

同じことが、国際的に移動できる労働力（例えば、高度専門人材）についても言える。日本の賃金が低いと、国際的な一物一価が成立しなくなるので、日本から海外に流出してしまうのだ。

では、こうした状況は、もう元に戻すことができないのだろうか？　それは、今後の日本の経済政策による。何もしなければ、円安はさらに進み、右に見た状況が一層悪化するだろう。

しかし、金融緩和政策を変更して金利の上昇を認めれば、円安が止まり、円高に向かう可能性もある。そうすれば、これまで見てきたような状況は大きく変わるだろう。

ただし、金利上昇（＝国債価格の下落）が生じた場合、日銀が債務超過に陥る可能性がある。これにどう対処するかも問題だ。これに関する詳細の議論は、拙著『自壊する日本』（ビジネス社、２０２２年）の第４章を参照していただきたい。

◆第2章のまとめ

1．今後、20年から40年の間に、中国の経済成長率は鈍化するものの、アメリカを抜いて世界一の経済大国になるだろう。

日本は、将来も豊かな国であり続けると予測されている。ただし、日本と新興国との豊かさの差は縮まる。

2．中国の高所得者数は、日本の人口より多くなる。中国への消費財の輸出が重要な意味を持つ。中国における生産活動をどう進めるかが、困難で重要な課題だ。

3．中国のＧＤＰは日本の約10倍になる。日本が防衛費の対ＧＤＰ比を1％から2％にしたところで、どんな意味があるだろうか？

4．急激な円安が進んだ結果、日本の一人当たりＧＤＰは、台湾より低くなり、アメリカの半分以下になった。米韓との賃金格差も拡大している。これらは、数字上の変化だけではない。日本人が実際に貧しくなり、日本の産業が弱くなったことを示しているのだ。

第3章 増大する医療・介護需要に対処できるか

1 社会保障負担を4割引き上げる必要があるのに、何もしていない

社会保障の給付と負担が60%増える

社会保障給付の将来推計として、内閣官房・内閣府・財務省・厚生労働省が2018年5月に作成した資料がある(「2040年を見据えた社会保障の将来見通し」、以下「政府見通し」という)。なお、社会保障の「給付」は年金、医療、福祉などから構成されており、「負担」は被保険者や事業主からの保険料と国からの公費などから構成されている。この資料は、社会保障の将来を考える上で貴重なものだ。しかし、いくつかの

問題がある。

第一は、社会保障の負担率がどのようになるのかがはっきりしないことだ。

この見通しには、2018年度から2040年度までの社会保障給付や負担が示されている。「現状投影ケース」では、2040年度の給付も負担も、2018年度の約1・60倍になる。しかし、この数字からは、負担率などがどのように変化するかを掴むことができない。

仮に、高齢者の増加のために、社会保障給付が60％増えるとしよう。賃金が変わらず負担者数も変わらなければ、一人当たりの負担は60％増える。だから、保険料率などを引き上げる必要がある。

しかし、賃金が60％増加すれば、負担率は不変に留められる。つまり、保険料率は、現行のままでよい。このように、経済成長率のいかんによって、社会保障制度の状況は、大きく変わるのである。第1章で述べたように、経済成長率が0・5％か1％かによって、数十年後の世界は、まるで違うものになるのだ。

前記の政府見通しでは、賃金について、かなり高い伸び率が想定されている。202

8年度以降は、2・5%だ。では、賃金をこのように上昇させることは可能だろうか?

毎月勤労統計調査によると、実質賃金指数(現金給与総額)は、2010年の106・8から2021年の100・0まで下落している。こうした状況を考慮すると、2028年度以降2・5%の賃金上昇率を想定するのは、楽観的すぎると考えざるをえない。検討の基礎としては、ゼロ成長経済を考えるべきだろう。

ゼロ成長経済での社会保障負担率はどうなるか

では、ゼロ成長経済において、社会保障給付や負担はどうなるだろうか?

前記の推計においては、社会保障の給付と負担について、実額の他に、GDPに対する比率が示されている。「現状投影ケース」の場合は、つぎのとおりだ。

・社会保障給付の対GDP比は、2018年度の21・5%から、2040年度の23・8〜24・0%へと、10・7(=23.8÷21.5−1)〜11・6%増加する。
・社会保障負担の対GDP比は、2018年度の20・8%から、2040年度の23・5〜

23・7%へと、13・0〜13・9%増加する。

いま、社会保障給付や負担、そして賃金のGDPに対する比率は、物価上昇率や賃金上昇率、あるいは経済成長率がどうであっても、影響を受けないと仮定しよう。つまり、これらの変数の成長率は同じであるとしよう。

その場合には、ゼロ成長経済における社会保障給付や負担の対GDP比は、右に示した値と同じはずだ。したがって、右の数字から、ゼロ成長経済における社会保障の姿を知ることができる（具体的な計算は、次項で示す）。

2040年、国民の社会保障負担率は驚くべき数字になる

前述した政府見通しの第二の問題点は、代替的政策との比較がないことだ。人口高齢化への対応策として、原理的には、つぎの2つのケースが考えられる。

第一は、給付調整型だ。保険料率や税率を一定とし、年金や医療費の給付を切り下げる。

第二は、負担調整型だ。現在の給付水準を維持し、それに必要なだけ国民の負担を引き上げる。

では、政府見通しは、このどちらなのだろうか？　右に見たように、実額では、負担も給付も、どちらも約60％伸びる形になっているので、このいずれなのかを判別することができない。

そこで、ゼロ成長経済を想定した場合に、一人当たりの給付や負担がどうなるかを見よう。

ここでは、計算を簡単化するため、「社会保障の受給者は65歳以上人口であり、費用を負担するのは15歳から64歳人口である」と単純化しよう。また、15歳から64歳人口のうち就業人口となる人の比率は、現在と変わらないものとする。

2018年から2040年までの人口の変化は、つぎのとおりだ（国立社会保障・人口問題研究所の中位推計）。

・15〜64歳人口は、7516万人から5978万人へと0・795倍になる

・65歳以上人口は、3561万人から3921万人へと1・101倍になる

先に見たゼロ成長経済における社会保障給付の対GDP費の増加率10・7%は、いま示した65歳以上人口の増加率（10・1%）とほとんど同じだ。

つまり、政府推計では、65歳以上人口の増加率と同じ率で社会保障費が増える（つまり、一人当たり給付は、ほぼ現在の水準を維持する）とされていることになる。そして、それを賄うために、負担を増加させるのだ。

すでに見たように、負担は、全体で1・130〜1・139倍になる。そして、負担者が0・795倍になる。したがって、一人当たりの負担は、低くて42%増（1・130÷0・795＝1・42）。高くて43%増（1・139÷0・795＝1・43）だ。

これは、驚くべき負担率の上昇だ。このような負担増が本当に実現できるだろうか？どう考えても無理なのではないだろうか？

給付は、全体で10・7〜12・1%増加になる。そして、受給者が1・101倍になる。したがって、一人当たりでは、低くて0・5%増（1・107÷1・101＝1・00

5)、高くて、1・8%増(1・121÷1・101＝1・018)だ。
このように、給付の切り下げはないと想定されている(むしろわずかだが、給付水準は上昇する)。

このように、政府の見通しは明確に負担調整型だ。つまり、一人当たり給付は、現在とほぼ同じレベルを維持し、それに必要な財源を調達すると考えられていることになる。

社会保障の負担を一定にするには、給付を4分の1削減するか、4割の負担増の必要がある

ここで、これまで見た政府見通しを離れて、原理的にありうる政策選択肢を考えてみよう。そして、具体的な姿がどうなるかを、2020年と2040年の比較において計算してみよう。

給付調整型の場合には、つぎのようになる。まず、先に示した人口構造変化の数字により、2040年における社会保障負担の原資は、労働力人口の減少に伴って、2018年に比べて59778÷75116＝0・795倍になる。

したがって、65歳以上の一人当たり受給額は、それを高齢者人口の増加率で割って、現在の0・795÷1・101＝0・722倍になる。つまり、社会保障制度による給付やサービスが、約4分の1だけカットされるわけだ。

負担調整型の場合には、社会保障の給付は、高齢者人口の増加によって、現在の1・101倍になる。これを現在の0・795倍の就業者で負担するのだから、一人当たり負担額は、1・101÷0・795＝1・38倍になる。つまり、4割程度の負担引き上げになる。

「負担が4割増える」ことの具体的イメージ

「負担が4割増える」と言っても、具体的なイメージを捉えにくいかもしれない。そこで、もう少し具体的な数字を示そう。

総理府統計局「家計調査」によれば、2021年において、2人以上の勤労者世帯（全国平均）が負担する税・社会保険料は、月額で、直接税が4万7242円、社会保険料が6万5331円で、計11万2573円だ。

勤め先収入55万9773円に対する比率は、20・4％になる。

社会保障給付の財源としては、社会保険料の他に公費（税で賄われるもの）もあるので、税・社会保険料負担を問題としよう。

「負担が4割増える」とは、11万2573円が15万7602円になり、勤め先収入に対する比率が、20・4％から28・6％になることだ。

つまり、現在は収入の約5分の1であるものが、3分の1近くになるということであり、大きな負担増だ。

なお、2040年は「就職氷河期世代」と呼ばれる世代が退職を迎える頃だ（「就職氷河期世代」は1970年から1982年頃に生まれた世代であり、2022年で40歳から52歳であり、2040年には58歳から70歳になる）。

「団塊ジュニア世代」とは、1971年から1974年頃に生まれた世代であり、「就職氷河期世代」に含まれる。彼らは、現在は48〜51歳であり、2040年には70歳前後になる。

国民の負担引き上げの具体的手当てが論議されていない

政府見通しの第三の問題は、負担率を上げるための具体的手段が示されていないことだ。

すでに見たように、政府が想定しているのは、負担調整型そのものだ。しかし、その実現のための手段を示していない。

後期高齢者医療保険の窓口負担を引き上げること以外には、具体的な制度改正が行なわれていない。これは、賃金の伸びを高く見ているために、保険料率の引き上げは必要ないと考えられているからだろう。

ただし、実際には賃金は上がらないだろう。負担率引き上げと言えば反対が起きることを恐れて、問題を隠蔽しているとしか考えようがない。実際には、賃金が上がらずに負担が増えるので、生活水準は低下する。労働力率を高めれば問題は緩和されるが、問題は残る。給付調整を考えるべきかどうかも、議論されるべきだろう。

医療保険の自己負担率はどこまで上がるか

真面目に働いていれば、いつまでも「健康で文化的な生活」が送れるような社会が維持できることが望まれる。しかし、今後の日本で現実にそれが可能だろうか？　事態はそれほど簡単ではない。

後期高齢者医療費の自己負担率が現在のような率でよいのかどうかは、大いに疑問だ。いまと同じような医療を将来も受けられると思っている50歳前後の人は多いだろうが、そうはならない可能性のほうが高い。

自己負担率引き上げの必要性は、後期高齢者だけに限られたものではない。現役世代についても、現在の3割負担で済むかどうか、分からない。

ＮＩＲＡ（総合研究開発機構）は、後期高齢者医療費の自己負担割合の引き上げについて、アンケート調査を行なった。２０２２年3月に公表された結果では、66％が引き上げに賛成だった。

ＮＩＲＡは、「現役世代の負担が大きすぎて、医療制度が維持できなくなることへの危機感が多くの人びとで共有されている」ことの反映だと分析している。

また、「負担率を決める基準が所得だけでよいのか」との問題提起をしている。そして、「マイナンバーは金融資産にほとんど付番されていないため、金融資産の把握は難しい。しかし、一定の基準を決め、それ以上の金融資産を持っているかどうかを把握した上で、応能負担を決めるという工夫はできないだろうか」としている。

年金支給開始年齢が70歳になれば、生活保護受給者が激増する

公的年金の支給開始年齢は、現在65歳に向けて引き上げられている（2025年に完了）。

しかし、65歳で終わりになる保証はない。70歳までの引き上げが必要になることはありうる。

仮に、年金支給開始年齢が70歳に引き上げられれば、70歳までの生活は、年金に頼ることができない。

企業が70歳までの雇用を認めるかどうかは、何とも分からない。仮に認めるとしても、賃金は著しく低水準にならざるを得ないだろう。

これによって影響を受けるのは、2025年において65歳となる人々以降だ。これは、1960年以降に生まれた人々だ。

したがって、「団塊ジュニア世代」も「就職氷河期世代」も、この影響を受ける。この世代あたりから、非正規雇用が増える（なお、非正規雇用が多いのは、この世代に限ったことではない。それ以降の世代も同じように多い）。

現役時代に非正規である人は、退職金もごくわずかか、まったくない場合が多い。だから、老後生活を退職金に頼ることもできない。

そうなると、生活保護の受給者が続出する可能性が高い。この問題については、拙著『野口悠紀雄の経済データ分析講座』（ダイヤモンド社、2019年）の第4章で詳細に論じたので、参照されたい。

資産所得課税の強化が必要

負担引き上げを行なう場合には、その財源をどう確保するかが重要な問題だ。社会保険料率の引き上げだけでなく、税負担率の引き上げも避けて通れない。この議論はまったく行なわれていないのだが、一刻も早く本格的な議論を始めることが必要だ。

その際、まず最初に必要なのは、現在の税制における大きな不公平を是正することだ。とりわけ、資産所得に対する課税が著しく軽減されている事態を改革する必要がある。

岸田首相は、首相選の際には、資産課税の強化を提案した。しかし、株価の下落にあって、すぐさま撤回してしまった。そして、NISA（少額投資非課税制度）の拡充など、資産所得に対する課税を軽減するという、当初とはまったく逆の方向に転換してしまった。

税制調査会は、資産課税の強化を打ち出す方向で検討を始めた。本稿執筆時点において、結論がどうなるかは分からないが、強化の方向での進展を期待したい。

銀行預金口座とマイナンバーとの紐づけに関する誤解

なお、銀行預金口座をマイナンバーと紐づけることによって、資産の把握が的確にできるようになるとの意見がある。税制だけでなく、先に紹介したNIRAレポートのように、医療保険自己負担の基準に適用すべしとの意見もある。

ここで注意すべき点は2つある。

第一に、資産保有と紐づけられるのは「マイナンバー」である。これは、全国民が保有しているものであり、「マイナンバーカード」とは別のものだ。マイナンバーカードを保有していない国民がいる現時点でも、「紐づけが必要」との国民的合意が得られれば、実行できる（現在でも、証券口座を開設する際にはマイナンバーの提示が求められる。銀行預金の場合は任意）。したがって、「政府は、国民の資産保有状態を把握するためにマイナンバーカードの普及率を高めようとしている」との見方は、誤りだ。

第二に、税務調査の場合には、税務署は、いまでも、そしてマイナンバーとの紐づけがなくても、また預金保有者がマイナンバーカードを保有していなくても、銀行預金などを調査することができる。

ただし、仮に資産を把握できても、脱税の摘発はできるが、現在の税制では、それに対して的確な課税を行なうことはできない。まず必要なのは、税制そのものを適正化することだ。

では、NIRAの提案のように資産保有状況を医療保険負担に適用することはどうか？　税務調査の場合とは異なり、仮に資産とマイナンバーの紐づけを行なったとしても、資産保有状況を調査することはできないだろう。それを行なうためには、かなり大規模な制度改革が必要になる。

医療保険制度の本質に関する議論が必要

医療保険制度に関して必要とされるのは、窓口負担の引き上げだけではない。保険料そのものの引き上げも、検討されなければならない。そのためには、医療保険制度が果たすべき役割についての根本的な議論が必要だ。

そもそも医療保険はなぜ必要とされるのだろうか？

多くの人は医療費負担の軽減だと考えているかもしれないが、そうではないはずだ。もし医療費負担の軽減であれば、病気になることに補助を与える結果となり、モラルハザード（病気に対して十分な注意を払わないこと）を引き起こす。

医療保険の目的は、保険という名が示すように、リスクのプーリング（pooling）であろう。つまり、病気になったときの費用負担を、社会全体で共有することだ。

そうであれば、財政危機に対しては、保険料の引き上げが必要になるだろう。また、給付については、軽度の給付の自己負担率を引き上げ、高額医療に対処を集中すべきだということになるだろう。

医療保険がこの方向で改正されるとすれば、現在のように費用負担をあまり気にすることなく医療機関に行けるような状態は、なくなる。

ただし、それが悪いこととは言えない。費用負担を気にせずに医療機関に行けること自体が、そもそも間違っている。仮に、財政的な問題がないとしても、このような状況は是正されるべきだという議論がありえるだろう。

ただし、これに対しては、「軽度の疾患を軽視すると重度の病気につながる」という意見もある。

このような議論が行なわれず、高齢者の自己負担率のわずかな調整だけしかなされていない現在の状況は、まったく不満足なものだと言わざるをえない。

「全世代型社会保障」は目くらまし?

政府は、その後、財源の問題を真剣に議論していない。そして、議論を「全世代型社会保障」に転換した。

２０１９年９月に「全世代型社会保障」の第1回会議を開催し、20年12月に最終報告をとりまとめた。ここには、「勤労者皆保険」の実現、子育て支援策など、子育て・若者世代に向けた「未来への投資」の構想が盛り込まれている。

全世代というのは、社会保障の受給者が高齢者に限られたものではないということを強調したいからであろう。

若い人に対する社会保障給付を増やすのは大事なことだ。しかし、仮にそれが実現できたとしても、社会保障制度が抱えている最も深刻な問題は、何も解決されることがない。

例えば、子育て支援によって出生率が高まったとしよう。それは、確かに日本経済の長期的パフォーマンスには重要な貢献をする。しかし、２０４０年頃までの日本を考える限り、経済には格別のプラスの効果を及ぼさない。仮にいま出生率が高まっても、その人たちは、２０４０年頃には労働年齢に達しないからだ。だから、むしろ経済の重荷が増える結果になる。これは、第1章の5節（出生率低下は日本の将来にどんな影響を与えるか）で指摘したとおりだ。

しかも、考えられている施策は、給付金などが中心だ。だから、人気取りにはなるだろう。しかし、本当に重要なのは、負担の増加や給付の引き下げなのである。

全世代を強調するのは、社会保障制度が抱えている基本的な問題から目をそらさせるための目くらましとしか言いようがない。

2　超高齢化社会では誰もが要介護になる

「90歳以上、夫婦とも介護・支援不要」の確率はわずか5%

将来の日本社会は超高齢化社会だ。そして、超高齢化社会は、健康問題に関しては、憂鬱《ゆううつ》な社会である。以下に述べるのは、憂鬱きわまりない話だが、誰にとっても大変重要なことなので、我慢して読み進んでいただきたい。

歳をとれば、要介護・要支援状態になる可能性が高まる。これは、誰でも知っている。

では、そうなる確率は、どの程度だろうか？　これについて正確に把握している人は、それほど多くない。実は、データから計算すると、驚くべき結果になる。

85〜90歳では、ある人が要介護・要支援になる確率はほぼ5割だ（この算出根拠は、後で詳しく示す）。だから、夫婦のどちらも要介護・要支援にならない確率は、その2乗である25％でしかない。つまり、この年齢層では、介護と無関係という人々のほうが少数派になってしまうのである。

90歳以上になると、もっと厳しくなる。要介護・要支援になる確率は、実に78・2％だ。つまり、要介護・要支援にならない確率は、21・8％だ。だから、夫婦のどちらも要介護・要支援にならない確率は、その2乗である4・75％でしかない。つまり、ほとんどの場合、夫婦のどちらかが要介護・要支援になると覚悟しなければならない。

多くの人が、「歳をとったら要介護になるかもしれない」と漠然と考えているだろう。しかし、その確率がこれほど高いとは、考えていないのではないだろうか？

もちろん、死んでしまえば介護の必要もない。だから、右に述べたのは、正確に言うと、夫婦がそろって生きていることを前提にした場合のものだ（また、夫婦が同年齢と仮定してある)。

親が要介護になるのは、ほぼ確実

こういうことを聞かされても、若い人たちはあまり危機感を持たないかもしれない。「85歳とか90歳というのは、ずっと先のことだ。それまでにはなんとかなるだろう。まだそんなことを心配する歳ではない」と考えるかもしれない。

しかし、その考えは間違っている。なぜなら、親が要介護になるからだ。夫婦の親は4人いる。全員が85〜90歳で、生存していることを前提にした場合、4人のうち誰も要介護・要支援にならない確率は、0・5の4乗で、6・25%でしかない。兄弟姉妹がいれば誰かが面倒を見てくれるかもしれないが、最悪の場合には、夫婦2人で4人の要介護老人の面倒を見なければならなくなる。このように、超高齢化社会において、介護は「誰にとっても、避けられない」問題なのだ。

「要介護3」が全面的な介護になるかの分かれ目

以上では、結論のみを示したが、これを導く過程を示そう。そのためには、言葉の定義から始めなければならない。

介護分野では、さまざまな特殊用語が用いられている。「要支援」とは、「日常生活上の基本的動作についてはほぼ自分で行なうことが可能だが、要介護状態となる予防のため、日常生活動作について支援を要する状態」を指す。

そして、要介護の各段階は、つぎのように定義されている。

要介護1：食事や排泄などの基本的な生活は一人でこなせるが、運動能力や認知能力の低下により、生活の中で一部介護が必要な状態。

要介護2：家事や身の回りについて、見守りや介助が必要な状態。

要介護3：ほぼすべての日常生活に介助が必要な状態。自力で立つことや、自分一人での歩行は難しく、着替え・食事などの動作に、誰かのサポートを必要とする。排泄や入浴も一人では困難。なお、特別養護老人ホームは、要介護3から利用できる。このように、要介護3が全面的介護の分かれ目だ。

要介護4：自力で立つ・歩くなどの基本的な動作が難しく、座った状態を保ち続けることもできない。思考力や理解力の低下も見られ、問題行動をとることもある。周りの人との意思疎通も難しくなる。

要介護5：自力で立ち上がって歩くことが困難で、一日中寝たきり。意思疎通ができない。

長寿者は死者を羨むか？

つぎに、数字を細かく見よう。2020年度末における介護サービスや支援サービスの受給者（介護や支援サービスを受ける人）総数は、682万人だ。そのうち、65歳以上（第1号被保険者）が669万人だ（厚労省統計、令和2年度　介護保険事業状況報告、年報による）。80歳以上の受給者が508万人であり、全体の約4分の3を占めている。要介護3以上の受給者は234万人であり、全体の3分の1強を占める。

図表3－1には、人口に対する受給者の比率を年齢階級別で示す（人口数は、国立社会保障・人口問題研究所の人口統計資料集による）。

図表3-1　年齢階級・要介護（要支援）状態別の受給者数の比率（2020年度末）

	a 人口 （千人）	b 被保険者に占める受給者の比率 **要介護・要支援** （%）	c 被保険者に占める受給者の比率 **要介護3以上** （%）	d 夫婦ともに受給者にならない確率 **要介護・要支援** （%）	e 夫婦ともに受給者にならない確率 **要介護3以上** （%）
65歳以上70歳未満	8,075	2.77	0.91	94.53	98.18
70歳以上75歳未満	9,012	5.92	1.86	88.51	96.31
75歳以上80歳未満	6,931	12.23	3.50	77.04	93.11
80歳以上85歳未満	5,297	26.76	7.54	53.64	85.48
85歳以上90歳未満	3,670	49.77	15.78	25.23	70.93
90歳以上	2,351	78.24	35.21	4.74	41.98
計（全体の平均）	35,336	18.93	6.48	65.73	87.45

介護保険事業状況報告（厚生労働省）、
人口統計資料集（国立社会保障・人口問題研究所）により、著者作成。

b、c欄は、「被保険者に占める受給者の比率」を示す。b欄は、被保険者のうち、要介護・要支援のいずれかの段階での受給者の比率を、c欄は、被保険者のうち、要介護3以上の受給者の比率を示す。

いずれの比率も、年齢が上昇するにしたがって高まる。bの数字を見ると、80歳以上85歳未満で約4分の1となり、85歳以上90歳未満で約半分となる。90歳以上では約8割だ（これが本節の冒頭で述べたことだ）。

ｃの数字を見ると、80歳未満では、ほとんど無視しうる水準だ。ところが80歳以上では無視しえなくなる。そして、90歳以上では3分の1を超える人々が介護3以上の受給者になる。これから見ても、80歳までとそれ以上とでは、介護の必要度について、質的な違いが生じることが分かる。

ｄ、ｅ欄には、「夫婦ともに受給者にならない確率」を示す。この数字は、つぎのように計算した。

例えば、80歳以上85歳未満の人がいずれかの段階の受給者となる確率は、ｂ欄から、26・76％だ。つまり、どの段階の受給者にもならない確率は、100－26・76＝73・24％だ。したがって、（夫婦が同年齢であるとすれば）どちらも受給者にならない確率は、この2乗である53・64％だ。この数字がｄ欄に記してある。

ｄ欄の数字を見ると、つぎのことが分かる。夫婦ともにどの段階の受給者でもない確率は、80歳までは4分の3以上だ。つまり多数派だ。ところが、この比率は、80歳以上85歳未満になると、ほぼ半分にまで低下する。そして、85歳以上90歳未満では約4分の1になる。さらに、90歳以上では、5％を割り込んでしまうのだ。つまり、介護は、ほぼすべての家庭にとって避けられない問題になる。

e欄に示す要介護3以上で見れば、夫婦のどちらも受給者にならない確率は、d欄の数字よりは高い。そうではあっても、90歳以上になれば、確率は5割を下回る。つまり、どちらかあるいは夫婦ともに要介護3以上の受給者になる確率のほうが高くなる。

「長生きすることの意味は何か？」と、改めて考え込んでしまう。核戦争が現実的な危機であった1960年代に、「核戦争の生存者は、死者を羨むだろう」と言われた（フルシチョフの言葉だと言われる）。来《きた》るべき人生100年の時代に、長寿者は死者を羨むのだろうか？

3　医療・福祉が最大の産業となる20年後の異常な姿

2040年の医療・福祉関係の就業者は全体の18・8％

高齢化の進展によって要介護人口が増える。医療の受診者も高齢者が多いので、増加する。このため、医療・福祉分野で必要とされる人材も増える。本章の1節で参照した

「政府見通し」によると、医療・福祉分野の就業者は、つぎのとおりだ。(注)

2018年度においては、823万人。これは、総就業者数6580万人の12・5%だ。2040年度においては、1065万人になると予測される（計画ベース）。これは、総就業者数5654万人の18・8%になる。

生産性が向上しても、必要就業者数はあまり減らない

『2040年を見据えた社会保障の将来見通し（議論の素材）』に基づくマンパワーのシミュレーション」(2018年5月)において、条件を変えた場合の推計が行なわれている。

それによると、2040年度の医療・福祉分野の就業者数は、つぎのとおりだ。

「医療・福祉の需要が低下した場合」には、983万人。

(注)「医療、福祉」は、産業大分類における分類項目。これを中分類で見ると、「医療業」「保健衛生」「社会保険・社会福祉・介護事業」となる。小分類では、「医療業」は「病院」など7つに、「保健衛生」は「保健所」「健康相談施設」「その他の保健衛生」など4つに、「社会保険・社会福祉・介護事業」は「社会保険事業団体」「福祉事務所」など7つに分かれている。

「生産性が向上した場合」には1012万人だ。

この結果は、前記「計画ベース」とあまり変わらない。医療・介護技術の進歩があっても、必要な就業者数にはあまり大きな影響を与えないことが分かる。

医療・福祉だけが成長を続ける

経済全体の就業構造の変化を見るために、総務省統計局の労働力調査による産業別就業者数を参照しよう。2018年においては、総就業者数は6682万人、うち、医療・福祉は834万人だ。どちらも、前記の「政府見通し」と完全には一致しないのだが、ほぼ同じだ。違いは、「政府見通し」を作成した時点で、労働力調査の確報が得られていなかったからだろう(年度と暦年の違いもある)。

そこで以下では、つぎのように考えることとした。

・2020年までは、労働力調査の値を用いる。
・2040年については、総就業者数と医療・福祉就業者は、「見通し」の「計画ベース」の数字を用いる。

図表3-2　産業別就業者数の推移（総就業者数に対する比率）

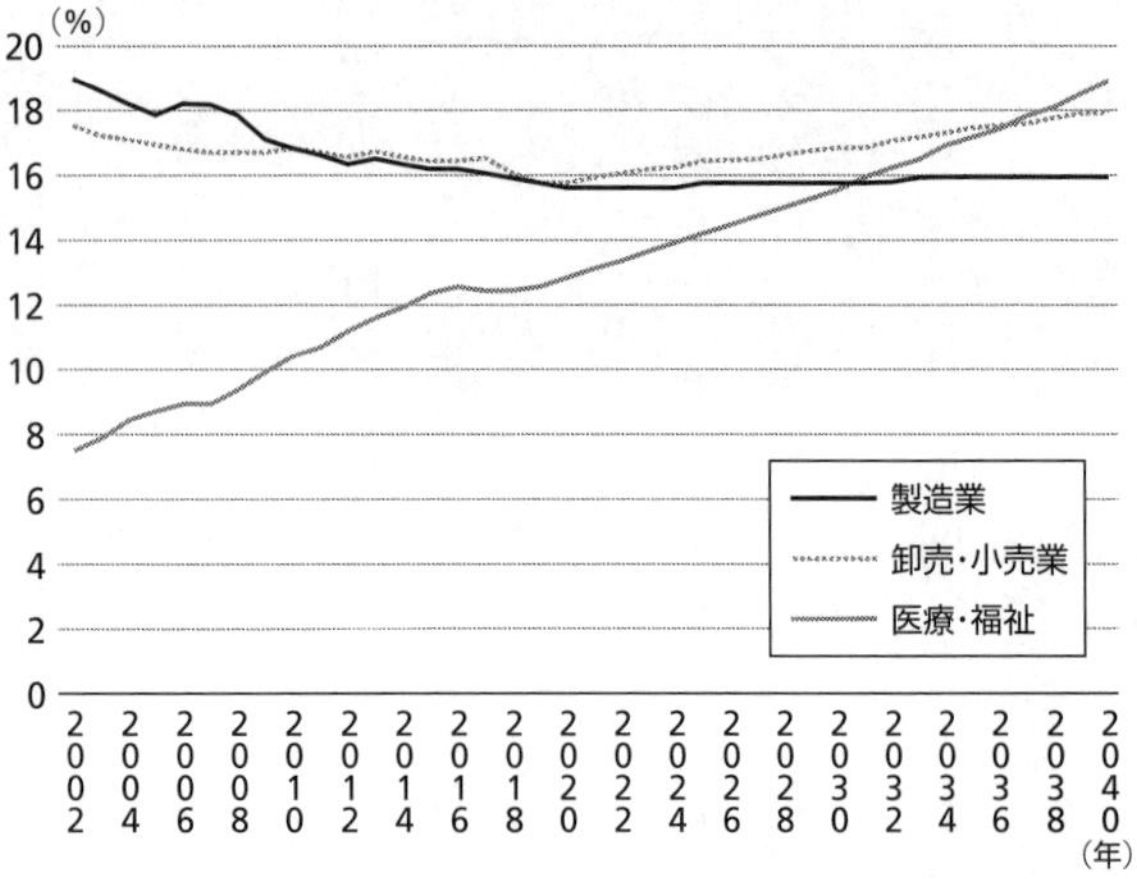

著者推計

・他産業については、過去の趨勢が将来も続くと仮定する。

この考えに基づいて、2002年から2040年の期間について、各産業の就業者の総就業者数に対する比率を計算すると、結果は、図表3－2のようになる。

製造業、卸売・小売業、医療・福祉の就業者の全就業者に対する比率は、2002年には、それぞれ、19・0％、17・5％、7・5％だった。

製造業と卸売・小売業の就業者数が時系列的に減少しているため、この比率は、2020年には、それぞれ、15・7％、

15・8%、12・9%となった。医療・福祉の比率は、この間に2倍近くになったのである。

2031年には、この比率が、15・85%、16・95%、15・90%となって、医療・福祉が製造業を抜く(卸売・小売業は、就業者数は減っているのだが、全体の就業者数の減少が著しいので、比率は上昇する)。

そして、2037年には、それぞれ15・96%、17・59%、17・80%となって、医療・福祉が卸売・小売業を抜き、就業者数で見て、日本最大の産業となる。

2040年には、それぞれ16・0%、17・9%、18・8%となり、医療・福祉は、製造業よりかなり規模の大きい産業となる。

医療・福祉以外の産業は、就業者数で見て減少を続ける。したがって、ごく少数の例外を除いて、今後は量的な拡大を期待することができない。成長を前提とした経営戦略は成り立たないのだ。マイナス成長のビジネスモデルを確立する必要があるだろう。

4　低い賃金で、必要な介護人材を確保できるか

医療・福祉分野で96万人不足する

厚生労働省「令和2年度介護従事者処遇状況等調査結果の概要」（介護従事者等の平均給与額の状況、月給・常勤の者、職種別）によれば、介護職員の2020年2月の給与は、31万5850円だ（基本給＋手当＋一時金）。

2019年2月の30万1120円に比べれば5・2％の増であり、これは、経済全体の賃金上昇率よりは高い。しかし、水準は低いと言わざるをえない。

しかも、労働条件は厳しい。コロナ禍で、その深刻さが浮き彫りになった。これは、有効求人倍率が高いことを見ても分かる。こうしたことを考慮すると、将来必要とされる介護人材を果たして確保できるのかどうかに、大きな疑問が生じる。

なお、2022年9月に公表された令和4年版の『厚生労働白書』は、2040年に医療・福祉分野で1070万人の就業者が必要になるが、確保できる人材は974万人にとどまり、96万人が不足するとした。

今後は外国人労働力に頼れない可能性も

今後予想される介護人材のひっ迫は、大量の移民を認めない限り解決できないだろう。日本社会が労働力の面で深刻な問題に直面しているという意識を持ち、外国人労働者の本格導入を認めることが必要だ。

日本がこれまで、労働力不足に悩みながら、外国人労働者の受け入れや、移民の受け入れに消極的な政策を採り続けてきたのは、不合理なことだった。

しかし、将来を見た場合、必要な人数の外国人労働者が日本に来るかどうかは、定かでない。日本の平均賃金が海外に比べて相対的に低下しているので、将来を楽観することはできない。

とくに、ここ数年の円安の影響は大きい。日本は、賃金の面で、もはや魅力的な国ではなくなりつつある。国際的な介護人材は、中国やオーストラリアにとられてしまい、日本には来なくなるといった事態は、十分に考えられる。日本の国際的地位の低下が続けば、海外からの介護人材に頼ることは難しくなるだろう。

なお、問題は外国人労働者に期待できないことだけではない。今後も現在のような状況が続き、日本の賃金が国際的に見てさらに低下すれば、日本から人材が海外に流出する。そうなれば、日本の若い人々が介護分野で働いてくれなくなるおそれがある。

5 こんな経済が成り立つのか

医療・介護需要の増大で経済を維持できるのか

医療・介護需要が増大するのだから、医療・福祉産業が拡大するのは、当然のことだ。「新しく建つ大きな建物は、病院か高齢者施設ばかり」というのは、われわれが日常生活の中で見ていることだ。これは、以上で見たような日本社会の変化を端的に表している現象なのである。

しかし、医療・福祉産業は、これまでの日本の主力産業とは、性格が著しく異なる。他の産業の場合には、われわれの生活をそれまでより豊かにしたり、生産活動をより効率的にしたりするモノやサービスを供給してくれる。しかし、医療・福祉の場合は、病気を治癒（場合によっては現状維持）するだけだ。つまり、マイナスを抑えるだけのことだ。

もちろん、それはきわめて重要なことだ。衣食住の場合には、財やサービスが少しばかり減ったところで我慢できる。しかし、医療・福祉では、そうはいかない場合が多い。これは、最優先で必要とされるサービスだ。しかし、それによって、生活がこれまでより豊かになるわけではない。言ってみれば、「病気で死なせないことと、動けない人を介護するだけで精一杯。それ以上のことには手が回らない」ということだ。

医療・福祉産業が成長したところで、われわれが普通イメージするような消費や投資が増えるわけではない。それによって日本の輸出が増えるわけでもないし、日常生活が豊かになるわけでもない。こうした意味で、他の産業とは性質が大きく異なるのだ。

そのような産業が日本最大の産業となる。だから、日本経済の姿は、これまでのものとは異質のものにならざるをえない。

医療・介護サービスの供給を維持するために、この分野に投入する原材料（医療機器や薬品など）と労働力を増やす必要がある。それによって、他の分野での財やサービスの生産が減る。

このため、飛躍的な技術革新がなされるのでない限り、医療・福祉以外の分野での財やサービスの生産は減少する。つまり、通常の衣食住に関して、われわれは貧しくなるのだ。

このような経済は、現在のそれとはあまりに異なるものだ。経済の構造や企業のあり方、あるいは株式市場などの機能や様相も、大きく変わるだろう。これは、これまでどの国も経験したことがない経済だ。だから、果たしてこのような経済を実際に維持できるのかどうか、強い危惧を抱かざるをえない。

市場を通じない経済活動が拡大する

医療・福祉産業においては、他の産業での売上げに相当するものが、市場を通じるのではなく、医療保険や介護保険といった公的な制度を通じて集められる。だから、資源配分の適正化を市場メカニズムを通じて行なうことができない。

医療単価の決定などの公的な決定によって、資源配分が大きく左右される。こうした制度で資源配分の適正化を実現するのは、きわめて難しいだろう。

さらに、医療・福祉制度を機能させ続けるには、医療・介護保険の財源を確保することが重要だ。２０２２年７月の参議院選挙で、野党は、物価対策として消費税の減税を掲げた。しかし、仮にそうした政策を実行すれば、将来の医療・福祉は、深刻な危機に陥る。長期的な見通しを踏まえた責任ある経済政策が求められる。

◆第3章のまとめ

1．政府は、2018年に作成した資料で、社会保障給付と負担の長期見通しを示した。ゼロ成長経済を想定すると、一人当たりの負担は4割も増加する。それにもかかわらず、社会保障負担引き上げの具体策に関する議論は、ほとんど行なわれていない。

2．超高齢化社会では、誰もが介護の問題から逃れることができない。

3．超高齢化社会では、要介護人口が増加する。医療・福祉分野で必要な就業者は、2040年で約1000万人。他の産業が縮小するため、日本の経済構造は大きく変わる。

4．人材を確保できるかどうかが大問題だ。外国人労働者に期待することはできないかもしれない。

5．高齢者の増加に伴って、医療・福祉分野の就業者数が増加する。その他の分野の就業者が減少するため、医療・福祉以外の財やサービスの生産は、国民一人当たりで見て減少する。その意味で、日本人は貧しくなる。

第4章　医療・介護技術は、ここまで進歩する

1　医療技術はどこまで進歩するか

2050年までに、ガンが克服される

将来、技術がどのように進歩するかは、社会全体にも、われわれの生活にも、大きな影響を与える。中でも医療に関する技術は、われわれの命に直接関係するので、誰もが強い関心を持っているだろう。

では、将来の医療技術はどこまで進歩するだろうか？　米カリフォルニア大学サンフランシスコ校のウェブサイトで、2050年の医療技術について、つぎのような予測が

なされている。「こんなことが、いますぐできれば……」と思うようなものばかりだ。

・ガンが克服される。
・バイオニックアイによって、視覚障害者はいなくなる。
・遺伝子編集工学によって、新しい人類を造ることも可能になる（ただし、人間を変えるような利用がなされるのではなく、疾病の治療に用いられるのが望ましい）。
・精神医療剤が、抗生物質と同じくらい効くようになる。
・人間とＡＩの融合が可能となる。
・人工内臓が開発されるので、人間が臓器提供する必要がなくなる。
・失った歯が再生可能になる。
・「ナノマシーン」（後述）を用いて、治療する。
・エイズが根絶される。
・スマートウォッチ（ＣＰＵが内蔵された腕時計に似た電子機器）で、診断が可能になる。

・完全なサイバネティック四肢（自動制御の技術を応用して、あたかも自分の手足のように使える義肢）ができる。
・肥満を治療する飲み薬が開発される。

文部科学省「令和2年版 科学技術白書」は、およそ2030年頃に実現可能になり、33年頃には社会が受け入れると考えられる技術をあげている。そのうち医療関係のものを見ると、つぎのとおりだ（第2章 2040年の未来予測—科学技術が広げる未来社会—）。

・遠隔で、認知症などの治療や介護が可能になる超分散ホスピタルシステム（自宅、クリニック、拠点病院との地域ネットワーク）。
・人の心身の状態を分析しすぐにアドバイスしてくれる超小型デバイス。運動や記憶、情報処理、自然治癒など、人の心身における各種能力を加速・サポートするための、センシング・情報処理・アクチュエーション機能が統合された超小型HMI（ヒューマン・マシン・インターフェイス）デバイス。

・血液による、ガンや認知症の早期診断・病態モニタリング。
・3Dプリント技術を用いた再生組織・臓器の製造（バイオ・ファブリケーション）。
・生体に完全に融合し、すべての皮膚感覚の脳へのフィードバック機能を備え、不自由なく生活できる義体。

ナノマシーンで、外科手術なしに治療

以上で見た予測は、さまざまな発展を網羅的、羅列的にあげている。これらを医療技術の観点から分類しておくと、理解しやすい。これについては、Life in 2050: A Glimpse at Medicine in the Future が参考になる。ここでは、未来の医療技術を、ナノマシーン、細胞療法、ゲノム編集、ＡＩの応用に分けて説明している。

未来の医療技術の第一の柱は、ナノマシーンだ。これは、10万分の1メートル程度の大きさの機械である（これは、細菌や細胞よりもひとまわり小さいウイルスのサイズである。なお、「ナノ」とは10のマイナス9乗を意味する言葉）。

これにより、血液の状態、ウイルスやＨＩＶやガン細胞を検知する。そして、周囲に

は影響を与えずに、それらを殺したり、血栓を除去したりする。こうして、外科手術なしに治療が可能になる。また、目や耳の神経を入れ替えることも可能になる。

「細胞療法」で皮膚、骨、臓器を再生

未来の医療技術の第二の柱は、ＰＳＣ（Pluripotent Stem Cell：多能性幹細胞）を用いる「細胞療法」だ。これが２０３０年頃から、一般の患者でも利用可能になると予測されている。

再生医療は、幹細胞薬を使うことで、疾患治療における新たな革命になっている。幹細胞薬とは、特定の疾患の薬として使用される生きた幹細胞ベースの製品だ。

幹細胞技術を使用すると、欠陥のある細胞や損傷・病気によって失われた細胞を置き換えるためのヒト細胞を提供することができる。つまり「細胞療法」であり、皮膚、骨、臓器などの身体の失われた部分を再生するのだ。

再生医療は、慢性肝疾患、糖尿病、神経変性疾患の治療などに活用できる。パーキンソン病、アルツハイマー病、虚血性脳障害、脊髄損傷、心不全、腎不全、糖尿病、黄斑

変性症など、多くの病変の治療に応用できると期待されている。これが、従来の組織療法（tissue therapies）に取って代わる。

前記の文献は、バイオプリンティング（bioprinting）が利用できるようになる夢のような未来の治療法を描いている。バイオプリンティングとは、人体の組織や臓器を製造することだ。

生きた細胞や生の生体材料を用い、コンピュータ支援の3次元プリンティング技術を利用することによって、複雑な3次元構造を製造するのだ。

こうなると人々は、病院に行ってDNAサンプル（口腔粘膜細胞から抽出できるのだろう）を示すだけでよい。そして、即座に、その人の遺伝子に合った細胞を入手できるようになる。これは、その人が必要とする用途に使える。例えば、腎臓、皮膚移植などだ。

「ゲノム編集」でアルツハイマー病に対処

未来の医療技術の第三の柱は、「ゲノム編集」（Gene editing）だ。

2012年に重要な発見がなされた。それまでの「遺伝子組み換え」ではなく、遺伝子を「編集する」という新しい技術が開発されたのだ。

これによって、ゲノム編集が可能となった。これは、生物が持つゲノムDNA上の特定の塩基配列を狙って変化させる技術だ（「ゲノム：genome」とは、生物の持つ遺伝子gene の全体。これはDNAという物質で構成されている）。ゲノム編集技術の基礎研究を行なった科学者2人は、2020年にノーベル化学賞を受賞した。

「遺伝子組み換え」とは、別の生物から取り出した遺伝子を導入することにより、細胞に新たな形質をつけ加える技術だった。

それに対して、「ゲノム編集」では、遺伝子を切ったりつなげたりする。狙った性質の遺伝子だけを編集することができるため、優れた特徴を持つ品種に新たな性質をピンポイントで追加できるようになった。

「遺伝子組み換え」では、外来の遺伝子を細胞に導入して新しい形質をつけ加えるのだが、「ゲノム編集」では、細胞が元々持っている性質を細胞内部で変化させる。今後数十年の間に、この技術を用いたさまざまな医療の開発が期待されている。

遺伝性疾患を、根本的に遺伝子から治すための遺伝子治療法への応用がある。血液ガンを対象とした「CAR－T療法（T細胞療法）」という治療法が、日本でも保険適用となった。白血病をはじめとする各種ガンの新規治療法にも期待が高まっている。

ゲノム編集を用いた治験は、アメリカや中国で多数行なわれている。いくつかの遺伝性疾患に対して治験も始まっている。そのほとんどが、ガンや感染症に対するものだ。

今後は、視力や聴力を失った人、アルツハイマー病、パーキンソン病の治療も可能になるのではないかと期待されている。

AIの活用で病変の見落としを防ぐ

未来の医療技術の第四の柱は、医療分野でのAIの利用だ。

医療の現場にはCTスキャン画像、MRI（磁気共鳴画像装置）画像、レントゲン画像などさまざまな画像がある。ところが、検査数に対して、読影医が不足している。したがって、AIに期待されるところが大きい。AIの画像認識が用いられるようになれば、素早く、低コストで診断できる。

また、医師によって読影判定にバラツキが起こることもあって、正しい判断がされていない可能性もある。AIなら大量のデータで学習することで、予測や診断の精度を上げられる。AIによる自動診断は医師の負担を減らし、病変の見落としも防げる。

正常な状態との差異を判別できる画像認識技術によって、病気を判別できる。とりわけ、ガンの発見に威力を発揮する。ビッグデータを扱ったAI利用は、医師の目や耳、脳の能力を拡張できるとされる。

病気になる前に発見して、対処する

イギリスBBC放送が、未来の医療についての特集をしている（記事がウェブで読める）。

スマートウォッチやスマートシャツにあるスマートセンサーが、時々刻々の体調の変化を、自分で気づく前に教えてくれる様子を描いている。

「デジタルピル」というものもある。これは、医薬品にセンサーを組み合わせたものだ。「スマートピル」とか「デジタルメディシン」とも呼ばれる。

服薬すると、センサーが信号を発信する。それを体に貼りつけた検出器が検出し、患者の状況を記録する。それを、医療従事者や介護者がスマートフォンなどで確認し、適切な治療に結びつける。また、体内の写真を撮って、遠隔地の医師に送ることも可能だ。

このようにして、病気を治療するだけでなく、病気になる前に、その兆候を捉えることが可能になる。これによって、病院に行かなくて済むようになる。医療費も大幅に節約される。そして、生活の質が向上する。

「生体チップ」と呼ばれる技術もある。血液中のブドウ糖で発電するバイオ電池により無線通信が可能な生体チップから送られるデータを、リアルタイムに収集して、そのデータを一元的にＡＩが処理するのだ。そして、各施設のロボットや現地スタッフに適宜指示を送る。

２０５０年頃には、電気信号を読み取るチップの脳への埋め込みが普及する。もし人間の脳にＩＣチップを埋め込めれば、さまざまな人のデータがモニター可能となり、予測、異常検知、分析などができるようになるだろう。心拍・呼吸など生体情報の把握、睡眠状態の把握に用いられる。

医療費を考慮すると、予防医療はいっそう重要になる

予防医療は、大変重要なことだと思う。医療技術が進歩してさまざまな疾病を治療できるのは喜ばしいことだ。しかし、それだけでは、問題が解決されたとは言えない。医療技術が進歩したために、高齢者が増えた。しかし、それによって、健康に問題を抱えつつ過ごす時間が増えてしまったという新たな問題が生じたからだ。

そして、治療はより複雑になり、費用も高額になる。高度な治療法が開発されてそれまで助からなかった命が助かるようになったと言っても、それに何千万円もかかるのでは、普通の人は利用できない。保険適用にすれば、保険制度がパンクしてしまうだろう。「医療費の増加が高齢化によってもたらされた」というのは、結局は「医療費の増加は、医学の進歩によってもたらされた」ということでもあるのだ。

いまの状態が続くと、アメリカでは、GDPの4分の1を医療に費やす必要があるという予測もある。こうした状況を回避するため、前記のような予防医療の技術開発が重要な意味を持っている。

2 介護ロボットはどこまで進化するか

介護ロボットの活用

介護の分野でも、技術の進歩が期待される。とくに、介護ロボットなどの活用だ。厚生労働省は、つぎのような技術を持つ知能化した機械システムを「ロボット」と定義している。それらのうち、利用者の自立支援や介護者の負担の軽減に役立つ介護機器を「介護ロボット」としている。

1．情報を感知する技術（センサー系）
2．情報を判断する技術（知能・制御系）
3．動作する技術（駆動系）

厚生労働省や経済産業省によると、ロボット技術が介護現場で重点的に利用されるのは、つぎの分野だ。

1．移乗支援のための装着型パワーアシスト現在では、移乗などを介助する場合に、介護者がマッスルスーツを着用する。しかし、将来は、利用者本人がマッスルスーツを着る。そして、自力で動けるようになるだろう。このスーツは、リハビリ用に用いることもできる。

2．移動支援のための歩行アシスト

車椅子で、行きたいところに行ける。ロボットアームを使って買い物などをすることも可能になる。

軽度の要介護者が自分で歩く場合には、傾斜センサーやジャイロセンサーが内蔵された杖を用いる。これによって転倒を予防できる。また、手すりと同じように体重をかけることもできる。

3．排泄支援のための自動排泄処理装置

生体チップからのデータによって排泄タイミングを把握できる。これによって、失禁を減らせる。また、ロボットが排泄物の吸引や洗浄・乾燥などを行なう。

4．見守りセンサー

利用者の体内にチップを埋め込む。そこから発信されるデータをセンサーで受け、A

Iで解析する。
5．入浴支援

介護にメタバースを活用できる？

こうした技術は、将来さらに進むだろう。介護ロボットも進化し、人間の手足の複雑な動きを正確に再現できるようになるだろう。そうなれば、人間が行なう作業の大部分を、人間より巧みに行なえるようになる。例えば、人間より巧みに散髪できるロボットが登場するかもしれない。

さらに遠い将来を見れば、視力を失った人の視力を回復させることも可能になるだろう。

メタバースを通じて交流を行ない、精神面での改善に寄与することも期待される。映画「アバター」では、主人公は体を動かすことができないのだが、仮想空間では、ヒーローになって大活躍する。これと同じような経験が、普通の人にもできるようになるかもしれない。

介護の省力化技術は重要

ところで、以上で述べたような技術に過大な期待は禁物だ、という意見もある。確かに、介護労力の削減だけを目的としてこうした技術が使われれば、手抜きが行なわれる危険がある。それは、介護の質の低下につながるおそれがある。

また、人間の介助者との間ではコミュニケーションがあるが、ロボットとの間では、そうしたコミュニケーションができないので問題だとも言われる。

こうした問題がもたらされる危険性は、否定できない。しかし、これまで見てきたような介護人材の深刻な不足状況を考えれば、省力化技術の積極的な採用は、重要なことだ。

新しい技術を介護作業の中に組織的に効率よく組み込むことによって、介護労力の総量を減らしたり、介護職員の負担を減少させたりすることは可能だろう。それによって、介護の質の向上が期待される。

コストが高ければ、問題を引き起こす

介護に関する技術進歩はめざましい。すでに見たように、介護ロボットが進歩して、忠実な召使いのように、身の回りの世話をすべてやってくれるかもしれない。あるいは、パワースーツを装着すると自由自在に動けるようになる。また、義肢は、あたかも自分の身体の一部であるかのように使える。

こうした技術を使えば、介護・介助してもらわなくても、自分で思うままに動き回れるようになる。あるいは車椅子に頼らずに、自由自在に動き回れるようになる。

では、それで問題が解決するだろうか？　そうとは限らない。なぜなら、費用の問題があるからだ。

高度な介護ロボットやパワースーツ、義肢が数百万円から数千万円になることは、十分ありうる。そうなれば、誰でも使えるというわけにはいかない。使えるのは、ごく一部の金持ち老人だけだろう。

金持ちだけが介護から解放されて若々しく生きられるというのは、庶民にとっては、かえって辛いのではないだろうか。

3　未来の医療は、メタバースで行なわれる

メタバース医療への期待

メタバースは、2022年から急速に関心を集めるようになった。ただ、実際のプロジェクトとして進められているのは、娯楽目的のものが大部分だ。

そうしたものを否定しようとは思わないが、メタバースの応用範囲はもっと広い。その一つが医療だ。医療はメタバースが重要な役割を果たしうる分野だ。以下ではメタバースを利用した医療について未来を展望しよう（なお、メタバース一般については、第5章で述べる）。

ここで重要な技術は、テレプレゼンス、デジタルツイン、ブロックチェーンの3つだ。

（1）テレプレゼンス

「遠隔医療」と言われる医療技術があり、すでに実用化されている。これによって、遠

隔相談、遠隔画像診断、遠隔病理診断などを、離島などでも行なうことができる。

さらに高度な技術を使う遠隔医療もある。まず、遠隔で手術ができる手術ロボットが登場している。また、eICUというシステムでは、複数の病院のICU（集中治療室）を、常時、センターから遠隔モニタリングする。患者の医療データを分析すると、早期に症状を発見して処置することができる。

アメリカでは、2020年以前には、医療機関の43％しか遠隔医療の能力がなかった。コロナ対応で遠隔医療の必要性が高まったため、いまでは95％にまでなっている。

こうしたネットワークが世界規模で作られる。その結果、ヨーロッパの患者がインドにいる医師に診てもらうようなことが可能になる。中国のように、患者が遠距離を移動しなければならぬ場合には、大きな意味を持つだろう。

日本では、オンライン診療は形式的には認められている。しかし、医師や病院が対応していないため、ほとんど利用されていない。

超高齢化社会では、高齢化や医師・介護人材の不足問題への対処がますます緊急な課題となる。遠隔医療は、超高齢化社会の最も重要なインフラストラクチャー基盤だ。

メタバースでは、遠隔医療技術に加えて、VR（Virtual Reality：そこにいる感覚）の技術を使う。この技術は、例えば仮想空間上の目的位置に手を伸ばす動作（リーチング）を繰り返すことによって、姿勢バランスや認知処理機能を鍛えることができるなど、リハビリテーションのサポートに有効だろう。

また、子供にとって、病院は馴染みにくい環境だ。そこで、メタバース内に子供に優しい環境を作り、子供の心理に合った医療をすることも考えられる。

（2）デジタルツイン

「デジタルツイン」とは、仮想空間上にデジタルで再現された双子のことだ。対象物を正確にコピーした仮想モデルをサイバー空間に構成する。その仮想モデルをＡＩ（人工知能）で分析することによって、モニタリングや予測などに活用できる。

医療では、ＣＴやレントゲンなどの検査機器などを通して取得された医療データに加えて、スマートウォッチなどのウェアラブル端末によって、患者の日常的なデータを収集する。

患者一人ひとりのツインを作成し、継続的に収集される生体データや生活データによってツインを更新・補正する。そこに疾病や現症を再現すれば、どのような治療が最も有効かシミュレートでき、一人ひとりに最適な治療計画をカスタムメイドで作ることができる。これによって、これまでとはまったく次元の異なる質と量の患者情報を蓄積できる。

このようなデータを活用して、「バイオデジタルツイン(BDT)」を構成すれば、患者の日常的な健康管理や生活習慣病の予防、病気の早期発見など、患者一人ひとりの個人的な事情に合わせたヘルスケアを行なうことが可能になる。

患者の心臓など臓器の一部をバイオデジタルツインで再現できれば、手術や治療のシミュレーションができる。また、患者の日常的な生体データを基に、生活習慣病などの予防医療もできる。手術の結果、手術からの回復期間、薬品への反応などを予測することも可能だろう。

(3) ブロックチェーン

いま、医療機関に対するサイバー攻撃が増えている。医療情報を集中管理していると、それらが盗まれる可能性がある。一つの医療記録がダークサイドで100ドルで取引されているとも言われる。ブロックチェーンを用いれば、医療情報を安全に管理できる。

「メタ病院」がメタバースの最も重要な領域に

以上のような可能性を考えると、医療は、メタバースの最も重要な応用領域になるのではないだろうか。

日本でも、メタ病院に向けての取り組みが始まっている。順天堂大学と日本IBMが、メタバースを用いた医療サービスの構築に向けた産学連携の共同研究を、2022年4月に開始した。2022〜2024年の約3年をかけて、仮想空間であるメタバースを活用した医療サービスを構築するという。

いまの段階では、診察や治療といったところまでは期待できないようだが、将来に向けての発展を期待したい。

◆第４章のまとめ

1．２０５０年頃までに、医療技術は大きく進歩する。いまでは不治の病とされているものが、治癒できるようになる。ナノマシーンの利用、ＰＳＣを使う「細胞療法」での再生医療、ゲノム編集によるさまざまな遺伝性疾患の治療、ＡＩの応用などが期待される。

未来の医療では、治療だけでなく、事前に予知する技術が発達する。

2．介護技術も進歩する。とくに介護ロボットなどの進歩がめざましいだろう。

3．医療はメタバースが重要な役割を果たしうる分野となるだろう。ここでの基本技術は、テレプレゼンス、デジタルツイン、ブロックチェーンの3つだ。医療のオンライン化が遅々として進まない日本でも、メタバース医療が実現することを期待したい。

第5章　メタバースと無人企業はどこまで広がるか

1　メタバースがもたらす巨大な可能性

「仮想世界への没入」がメタバースの価値ではない

メタバースに対する期待が急速に広がっている。世界のさまざまな企業がこれに向かって走りだした。メタ（旧フェイスブック）は、２０２１年8月に仮想空間サービスHorizon Workroomsを始めた。利用者が自分のアバターを作り、「メタバース」と呼ばれる仮想空間の中で人々と交流したり、会議をしたり、買い物をしたりする。日本でも、「バーチャル渋谷」などの試みがある。

第4章の3節で述べたように、メタバースの中核技術は、テレプレゼンス、デジタルツイン、ブロックチェーンの3つだ。テレプレゼンスは、遠隔技術とVR技術からなる。多くの人は、テレプレゼンス技術の中のVR技術を重視する。それによって、現実の世界ではない仮想世界に入り込み、その世界に没入して、現実世界を忘れて時間を過ごせることがメタバースの価値だと考えている。

そうした要求に応えて、今後さまざまな世界、例えばアマゾンの源流やアフリカの奥地、南極への探検や火星旅行などを体験する空間が作り出され、人気を呼ぶだろう。私も、そうした世界を覗いてみたいとは思う。

しかし、このような利用がいくらでも広がるとは考えられない。その理由を以下に述べよう。

「可処分時間」には限度がある

第一の理由は、当然のことながら、いくらメタバースに没入していたいといっても、一日中そこにいるわけにはいかないことだ。

人々がメタバースで過ごせる時間には、限度がある。だから「可処分時間」という概念が重要になる。

とりわけ子供たちに対しては、メタバースで過ごせる時間に強い制約をかけることが要請されるだろう。そうしないと「メタバース中毒」になって、仮想世界から出られなくなる子供が続出することが危惧される。

だから、メタバースは、いくら広がったとしても、現実世界のごく一部を占めることにしか、なりえない。

「アバターにされる」ことへの拒否反応

これまで喧伝されているメタバースに私が拒否反応を示すもう一つの理由は、自分がアバターにされてしまうことだ。

これをどう受け止めるかは、人によって異なるだろう。「アバターという自分とは異なる存在になることによって、自由に振る舞えるし、会議で率直な意見を出すことができる」という考えもある。しかし、私は、こうした考えが理解できない。

私は、漫画のキャラクターのような存在にされることに対して、人格を否定されたような感覚を持つ。そのように考えてアバターに拒否反応を示すのは、私だけのことではあるまい。

アバターになれば自由な意見を出せると言うが、漫画のような世界で真剣な話し合いができるだろうか？　仮面を被らなければ本当の意見を言えないというのは、困ったことだ。

漫画顔教授の講義を聴いて、永遠の真理を学んでいる気持ちになれるだろうか？　ひょうきん顔の親友に、深刻な悩み事を相談できるだろうか？　こうしたことができる人もいるだろうが、私にはできない。

米ナイアンティック（位置情報アプリなどを提供している企業）のジョン・ハンケCEOは、「メタバースとはディストピアの悪夢だ」と言った。彼も、私と同じような考えを持っているのだろう。

メタバースには「現実逃避」以外の可能性がある

しかし、以上で述べたことは、メタバースが無価値だということを意味しない。なぜなら、メタバース＝VRではないからだ。

メタバースには、VR以外に、テレプレゼンス技術の中の遠隔技術とデジタルツイン技術、そしてブロックチェーン技術が含まれている。私は、これらの技術の潜在的な価値はきわめて大きいと考えている。医療分野での可能性を第4章で述べたが、その他の分野でも、大きな可能性があるはずだ。

なお、VR技術についても、アバターという形を通じてしか利用できないわけではあるまい。アバターを使うのは、現在のコンピュータの情報処理能力の制約によるのだろう。将来コンピュータの処理能力が向上すれば、テレビ会議の3次元版を利用できるようになるだろう。

ファブレス製造業や「デジタルツイン」技術

遠隔技術には、現実の経済活動に関連の深い利用法がある。「メタバース」という言葉を使っているわけではないが、しばらく前から、つぎのようなことが行なわれている

（これらについての詳細は、拙著『リモート経済の衝撃』〈ビジネス社、2022年〉を参照）。
・スマートグラスによる遠隔支援
・ARグラスやMRグラスの利用
・デジタルツイン工場

ファブレス製造業が提供するのは、「モノ」ではなく、設計という「情報」だ。だから、仮想空間内で専門家を雇い、詳細まで設計させることが可能と思われる。これが仮想空間における主要産業の一つになる可能性もある。

また、ドイツの自動車メーカーBMWは、「デジタルツイン」の技術を用いて現実の工場のデジタル複製物を作り、生産工程を管理する仕組みを導入している。

こうした利用技術が今後さらに開発され、情報の交換や、人と人との結びつきが大きく変わるだろう。メタバースは、生活と仕事を根本から変える潜在力を持っているのだ。

本章では、このような立場から、メタバースの可能性について考えることとしたい。

2 メタバース経済取引の可能性と問題点

「利用者から販売主体」になることの大きな意味

企業がメタバースに大きな関心を寄せるのは、メタバースでの経済取引が可能になるとの期待があるからだ。

これまでのゲームでも、経済取引があった。例えば、ゲーム内の戦闘で用いる武器などの売買だ。

しかし、それらは、ゲームの提供者が利用者に向けて販売するものだった。したがって、参加者は、あくまでも利用者という形でしか経済取引に関与することができなかった。

しかし、本章の4節で述べるNFTの技術を用いれば、一般の人々や企業が、自ら作ったデジタル創作物を、自ら販売して収益を得ることが可能になる。転売もできる。

例えば、アバターが着る衣装などを売買できる。スニーカーなどは、すでにネット上で販売されている。メタバース提供者との共同作業を行なえば、スーパーマンのように空を飛ぶことができるマントを作成して、販売することもできるだろう。こうしたものは、かなりの高額で売れるだろう。これらを賃貸するサービスも考えられる。

また、土地や建物に相当するものが作られ、現実世界における不動産と同様に取引できるだろう。そこでイベントを行なったり、パフォーマンスや催し物を行なったりすることもできる。あるいは、立ち読みができる書店を作ったり、ネットショッピングで購入する商品を確かめるための店舗を作る。そこでは、現在のような2次元写真ではなく、リアルな店舗におけるのとほとんど同じように商品を確認できるだろう（以上の点は、本章の3節で再述する）。

メタバース上での取引の秩序を確保できるか

前項で述べたように、技術的な観点だけから言えば、メタバースで経済的な取引が行なわれる可能性がある。しかし、実際に経済活動を行なうためには、これだけでは十分ではない。

仮想空間内での経済活動を行なうためには、つぎのような問題に関して、条件が整備される必要がある。

・複数のメタバースをまたいで使えるか？
・アバターの本人確認をどうするか？
・さまざまな不正行為（詐欺、契約不履行、盗難、コピー等）があった場合、あるいは破壊行為があった場合に、誰がどのように取り締まるのか。さらに、課税はどうするのか？

不正の取り締まりや課税が問題

前項で述べた条件のうち、複数のメタバース利用や本人確認は、なんとか対応できるかもしれない。

また、契約の遵守確保については、現在すでにインターネットを通じる国際的なクラウドソーシングが行なわれていることを見ても、高額の取引でなければ、契約を仮想空間の中で行なうことは、それほど難しくはないと思われる。また、エスクロー（注）の仕組みを活用して、取引の安全を図ることも考えられる。

(注) エスクローとは、つぎのような仕組みだ。売り手、買い手以外の第三者が、いったん売買代金を預かる。そして、品物が届いて買い手が確認したら、第三者が代金を売り手に支払う。メタバースのシステム提供者が、この第三者の役割を果たせばよい。

さらに、ブロックチェーン上のスマートコントラクトを用いて、契約の実行を確保することも可能と考えられる。

しかし、これだけですべての問題が解決できるわけではない。とくに不正行為の取り締まりは、決して容易な課題ではない。

課税も難しい。経済活動で利益が発生すれば、課税が必要になるが、取引をどう把握するか？　取引に対する消費税、所得に対する所得税や法人税、社会保険料をどう課すか？　などの問題が発生する。

警察権、司法権、徴税権が必要

前項で述べた問題を解決するためには、究極的には国家のシステムと同じものをメタバース中に確立しなければならない。すなわち、警察権、司法権、そして徴税権が確立される必要がある。そして、不正行為があったかどうかを調査して判断し、対処する必要がある。

しかし、そんなことができるだろうか？　これらの権限がメタバースの提供者に付与されたとしても、メタバースの提供者にそれを実行する能力があるだろうか？　常識的に考えれば、そんなことは不可能だと考えざるをえない。

では、現実世界の国家権力がメタバースの仮想世界にも及ぶことになるのか？　これも容易なことではなく、混乱が生じる可能性がある。

巨大なブラック経済圏が誕生するおそれ

以上の仕組みが整備されずにメタバースでの経済活動が始まれば、さまざまな問題が発生する。

例えば、メタバース内での課税が不十分にしか行なえないのであれば、メタバース内で収益をあげることによって、税負担を免れることができるかもしれない。そうなると、現実世界の資金をメタバースに逃避させる動きが生じるかもしれない。これに対処するのは、簡単ではないだろう。

もちろん、仮想空間で得た収益を現実世界に持ち出せば、現実世界における課税の対象となる。しかし、現実世界への利益の持ち出しは、巧妙な方法で行なえる。例えば、有力政治家にメタバース内で賄賂を渡し、現実世界で、建設工事受注について便宜を図ってもらうなどの方法が考えられる。このような依頼が仮想世界の中で行なわれる限り、それを現実世界で実証して摘発するのは困難だろう。

テロリストグループが悪用するリスク

中国の富裕層も、仮想世界内での経済活動に大きな関心を抱くだろう。中国政府による共同富裕の政策が打ち出されたこともあり、中国国内に巨額の資産を保有することが難しくなっている。中国は仮想通貨（暗号資産）の取引を禁止しており、メタバースへの接続も当然制約されるだろう。しかし、外国にいる代理人を通じて投資することは不可能ではないかもしれない。何らかの方法によりそれが可能になれば、巨額の資金がメタバースに流れ込む可能性がある。

また、テロリストのグループが活用して、資金源とすることも考えられる。もちろん、こうしたことを防ぐために、アバター利用者の本人確認を厳格に行ない、確認できない場合はアバターを与えない等の措置がなされるだろう。しかし、どれだけの実効性があるかは、疑問だ。

メタバースは、さまざまな夢を実現してくれる可能性がある半面で、多くの問題をはらんでいる未知の世界だ。

従来のＳＮＳと同じく、中毒性の問題や収集されるデータの活用の問題があるが、それだけでなく、巨額の脱税や巨大なブラック経済圏が誕生してしまうおそれもある。

技術の進歩は早い。これまではＳＦの世界でしかできなかったことが、急速に現実化している。これに対応する仕組みの構築を急ぐ必要がある。

3 日常生活にメタバースを使う

メタバースからビッグデータを入手する

メタバースの活用について通常言われるのは、仮想空間でのイベントやコンサート、ゲームなど、エンターテインメント関係のものが多い。しかし、メタバースの利用範囲は、もっとずっと広い。

企業から見て最も重要なのは、データの収集だろう。これまでSNS等によって収集していたビッグデータを、メタバース内での行動から収集することができる。それによって、多数の人々から、これまでは想像もできなかったほど詳細なデータが得られる。それらのデータを利用して、広告などさまざまな用途に利用することが考えられる。

メタバースで得られるデータは、メタバースの提供者が握ることになる。メタ（旧Facebook）がメタバースを構築しようとする大きな理由は、ここにあると思われる。

なお、メタバースで収集したデータを医療に活用することも考えられる。これについては、第4章で述べた。

自動車の試乗をメタバースで

メタバースを日常生活に利用することがもっと進められてよいだろう。まず考えられるのは、買い物での利用だ。

自動車を購入する前に試乗してみたい人は多いだろう。メタバース上であれば、それが簡単にできる。

日産自動車は、２０２２年5月に新型軽電気自動車「サクラ」をメタバース上で試乗できる仮想空間 NISSAN SAKURA Driving Island を公開した。ＶＲゴーグルを持っていれば、いつでも、世界のどこからでも試乗できる。充電ステーションで充電することができるし、茶屋にある抹茶茶碗やお団子などを手に取ることもできるそうだ。

前節で述べたように、経済活動を最後までメタバース内で完結させようとすると、本人確認、契約違反への対処、課税などの難しい問題が発生する。これらは、簡単に解決できるものではない。法改正、制度改正が必要だ。少なくとも、すぐには使えない。

しかし、メタバースを広告、勧誘、商品選択に使い、実際の契約は従来のようにオンラインで行なえば、以上のような問題を回避することができる。自動車であれば、試乗はメタバースで行なうが、売買契約は、従来の方式で行なえばよい。

メタバースの役割は広告や商品選択

オンラインの買い物では、実物に触ったり動かしたりしてから商品を選ぶわけにはいかないので、買いたいもののサイズや使い勝手を確かめることが難しい。そのため、買ったものが目的と微妙にずれていることがよくある。

電気製品などで、こうしたことがよくある。大きさが考えていたのと若干違い、そのために使いにくい。実際に使う場合の動かし方が、考えていたのと違う、等々。

家具も、実物に触ってみないと、使い勝手が分からない。衣料品でも、試着してみないと、どれがよいのか分からない場合がある。靴が足にフィットするかどうかも、オンラインでは分からない。

メタバース上の仮想店舗では、こうした問題を解決できる。このための試みは、日本でもスタートしている。

凸版印刷は、2021年12月、仮想空間上に構築した複数の店舗を集約したスマートフォンアプリ「メタパ」を開発したと発表した。同月、仮想空間にオープンした「バーチャル大丸・松坂屋」では、3Dで表示される食品を手に取って見ることができ、電子商取引（EC）サイトに移行して購入できる。22年8月には、「パラリアルニューヨーク」の街に「バーチャル大丸・松坂屋」が期間限定で展開された。

オンラインショッピングの時代の実店舗の役割は、「商品を確かめること」だが、右で見たような試みが広がれば、小売り販売が大きく変わるだろう。いまの実店舗の主要な機能をメタバースが代替し、メタバースの店舗でのPRで売れ行きが決まるようになるだろう。

マイナンバーカードの取得・更新をメタバースで

メタバースの実生活での利用として考えられるのは、以上だけではない。地味だが重要なのは、官庁の窓口手続きだ。

例えば、マイナンバーカードの申し込みや更新の手続きだ。新しく作るためには、地方自治体の役所に出かけて申請しなければならない。3年に一度は書き換えが必要になる。

これをメタバースの市役所で行なうことは、十分可能だろう。とくに審査が必要とされるわけでもないので、あっという間に手続きが完了するだろう（入力には、ＰＣのキーボードを使う。あるいは、スマートフォンの電話のキーパッドでもよい）。

「こうしたことなら、いまでも大した手間ではない」との意見があるかもしれない。確かにそうだ。しかし、車椅子の利用者など、わずかな距離の移動でも、大変な苦労をする人たちがいる。

いま、マイナンバーカードの健康保険証としての利用が進められている。紙の健康保険証は郵送してくれるが、マイナンバーカードになれば、入手や更新には役所に出向かなければならない。

政府は２０２２年6月にまとめた「経済財政運営と改革の基本方針２０２２」（骨太の方針２０２２）に「保険証の原則廃止を目指す」と明記した。報道によると、厚労省は24年秋の原則廃止で調整している。

そうなると、更新のたびに、役所に出向かなければならない。高齢者にとって健康保険証は不可欠のものだが、更新ができないでは、大変困る。この手続きを自宅からできるようになれば、高齢者にとっては、大きな福音だろう。

官公庁の窓口業務をメタバースで

同じようなことは、運転免許証の返納についても言える。高齢になれば、免許証を返納したいと考える人も多くなるが、これも現在は警察署、あるいは運転免許試験場に出向いて手続きをしなければならない。免許証の返納は、取得や更新とは違って、試験も必要ないし、視力検査なども必要ない。ほとんど形式的な事務だ。唯一必要とされるのは本人確認だが、これは、マイナンバーカードを用いることによってできるだろう。だから、運転免許証の返納は、メタバースで十分可能なことだ。

以上で述べた例は、「メタバース」などという大げさなものではなく、単なる「オンライン化」にすぎない。いままでも、その気になれば、すぐにでも導入できることだ。ただし、いまのようなオンライン方式だと、利用しにくいと感じる人が多いかもしれない。

画面に現れる文字の指示にしたがって操作しなければならないからだ。手続きに分からないところがあっても、対面の場合とは違って、質問ができない。

それに対して、メタバースでは、アバターの係員（その実体は、ＡＩ）の口頭の指示にしたがって操作すればよい。質問も簡単にできるだろう。まさにuser friendlyな環境の中で手続きができるわけだ。

なお、ＡＩによる質問への応答は簡単なことではないが、現在でもすでに企業のコールセンターに導入され、実用化されている技術だ。官公庁の窓口でも、導入できるはずだ。

また、以上のような利用に、３Ｄ空間での立体視などは必要なく、動画と音声のやりとりができれば十分だ。だから、ゴーグルのような特別な機器なしに、ＰＣやスマートフォンで簡単に利用できることが望ましい。

金融機関の窓口業務も、同じようにメタバースで済ますことができるはずだ。そうなれば、金融機関の支店は不要になるだろう。

メタバースの一般的な利用が広がれば、必要とされる機器も簡単で安価なものになるだろう。そうなってくれば、次項で述べる運転免許証実技試験のための運転シミュレーターなども利用できるようになる。

納税は、現在すでにかなりオンライン化されている。これをメタバースに移行させることは、比較的容易だろう。

民間の企業間、事業者間の取引がオンライン化されている場合、そのシステムも同じメタバースの中に取り入れられるだろう。

そうなれば、単に納税事務だけでなく、企業の会計事務の自動化が進み、企業事務の効率化が進むだろう。これは、きわめて広範囲な変化を引き起こしうるものだ。

運転免許証の試験をメタバースで

以上は、現在の技術ですぐに導入できるものだ。

近い将来に可能になると思われるものとして、運転免許証の試験がある。筆記試験と視力検査は、オンラインで行なうことが可能だろう。

問題は実技試験だが、メタバース上に設置されたシミュレーターで受験者が運転を行ない、その結果を採点することは、十分可能だろう。

問題は、技術的に可能か否かというよりは、このような転換が行なわれる結果、現在の試験要員が失業することであろう。それへの対処が、現実には困難な課題となるだろう。

「官公庁の窓口業務をメタバースで」という動きがデジタル庁から出てこないのは、大変残念なことだ。

学校教育をどこまでメタバースで行なえるか

楽器の練習やスポーツ指導などには、メタバースは最適かもしれない。

学校教育もメタバースで行なうことが十分に考えられる。ただし、学校教育には、単に内容を教えるだけでなく、集団生活を通じて人間関係を築くという側面がある。これをメタバースで再現できるだろうか？　決して容易なことではない。ただし、さまざまな取り組みが行なわれるだろう。

2022年7月、東京大学の大学院工学系研究科・工学部は「メタバース工学部」を設立すると発表した。現役の工学部生の他、中高生やその保護者などを主な利用者層と想定しており、キャリア総合情報サイトや、ジュニア向け教育プログラムなどを展開する。

4 NFTで何ができるか？

NFTとは何か

メタバースで重要な役割を果たすと考えられているのが、NFTの技術だ。NFTとは、Non-Fungible Token の略だ。日本語に訳せば、非代替性トークンである。NFTは、デジタル創作物について、正当な所有者であることを証明する手段として機能する。ここで、デジタル創作物とは、画像、写真、記事、ツイート、ゲーム内アイテム、アバター、キャラクター、音楽などだ。これらのファイルをNFTにすることができる。

これまで、ブロックチェーンを用いて、ビットコインなどの仮想通貨（暗号資産）が取引されてきた。それと同じように、デジタル創作物を取引するのである。

ＮＦＴを用いたデジタル創作物の取引は、現実の世界ですでに行なわれている。デジタルアート作家ビープルことマイク・ウィンケルマン氏のＮＦＴ作品 Everydays : The First 5000 Days は、約６９３０万ドル（約75億３０００万円）で落札された。ツイートの文言も対象となった。ツイッターの共同創業者であるジャック・ドーシー氏の初ツイートが約２９０万ドル（約3億１５００万円）で落札された。これは、「just setting up my twttr 5:50.March22’ 2006」という文言だ。

Non-Fungibleとは

これまで、仮想通貨がブロックチェーンで取引されてきた。それとＮＦＴはどこが違うのか？　それは「代替不可能（Non-Fungible)」という点だ。これは、どういう意味か？

普通の1万円札を考えてみよう。これは、他の1万円札と交換できる。あるいは、５０００円札2枚と交換できる。これを代替可能（Fungible）という。

しかし、仮に有名人がホテルで1万円札をチップとして支払ったとし、その札にサインを書き込んだとしよう。この1万円札は、高い価値があり、他の1万円札と同じものではない。つまり、「代替不可能」(Non-Fungible)だ。

デジタルアートをNFTとして取引する

NFTを作成するには、ブロックチェーン上に「Mint(鋳造)」する。これは、ブロックチェーン上のスマートコントラクトとして作成、発行することだ(スマートコントラクトについては、次節を参照)。

これによって、ある人がそのデジタルアートを所有していることを、ブロックチェーン上に記録することができる。

このデジタルアートが売れれば、そのことがブロックチェーンに記入される。ブロックチェーンに記録されたデータなので、改ざんされることはなく、データ追跡が容易にできる。

このデータに取得者として記録されている人が、当該デジタルアートの正当な所有者だ。以上は、仮想通貨の取引と同じだ。ただ対象が、Non-Fungibleである点が違う。

なお、NFTはメタバースがなくても機能する。事実、メタバースの外で取引されている。逆に、メタバースは、NFTなしでも機能する。事実、機能している。

「真の所有者」という証明が価値を持つ

誰がNFTを発行し、誰が購入し、いまの所有者が誰なのかなどは、ブロックチェーンをさかのぼることで容易に知ることができる。

なお、NFTとして記録されているデジタル画像は、コピーすることができる。つまり、NFTはコピーガードの技術ではない。

ただし、デジタルアートをコピーすることができても、所有した証明にはならない。コピーされればされるほど多くの人に知られるので、NFTの価値は上がる。

結局、NFTが価値を持つのは、「真の所有者である」ということそれ自体に、価値を見出しているからだ。そして、それを見せびらかしたい、自慢したいという欲求があるからだ。

これは、ある種の虚栄心だ。その意味では、NFTの価値は強調されすぎていると言える。一種のバブルだとも言える。

アーティストにとっての「新しい所得獲得手段」が誕生した

ＮＦＴが満たすのは虚栄心だけだとしても、デジタルアーティストにとって新しい可能性が開けたことは間違いない。

これまで下請け作業だからと、低賃金で使われていたアーティストは数多くいる。それらのアーティストが、直接に収入を得ることができるようになった。そして、うまくいけば、人生を大きく変えるほどの大金を手にすることができるのだ。このことの意味は大きい。

だから、クリエイターの世界が大騒ぎになるのは、当然だ、しかし、一般の人は、もう少し冷静な目でＮＦＴを見ることが必要だろう。

実際、ＮＦＴに対する過剰な期待は冷めつつある。２０２２年７〜９月のＮＦＴの平均価格は、ピークであった1〜3月から9割近く下落した。

5 無人企業DAOが現実化する

ブロックチェーンとは

ブロックチェーンとは、改ざんできないデジタル情報を記録する仕組みだ。「プルーフ・オブ・ワーク」という仕組みで、改ざんができないようになっている。この仕組みは、非常に分かりにくい。この説明は、第8章の3を参照。さらに詳しい説明は、拙著『仮想通貨革命』（ダイヤモンド社、2014年）、『ブロックチェーン革命』（日本経済新聞出版社、2017年）を参照されたい。ここでは、詳しい説明は省略する。そして、そのような技術が利用可能になっていることを前提に話を進める。

比喩で言えば、石に簡単に文字を刻むことが可能になったようなものだ。そこに刻まれた文字は、改ざんできない。

そして、情報を刻み込んだ石を、いくつかの町の中心にある広場で公開する。そうすれば、そこに書かれてある取引が、当初契約されたままの取引だ。だから、例えばビットコインの取引なら、そこに記録されている所有者が正しい所有者ということになる。

なお、以上は「パブリックブロックチェーン」と呼ばれるもので、自由意思で参加するコンピュータの集まりによって、データの記録作業が行なわれる。

この他に、「プライベートブロックチェーン」と呼ばれるものがある。これは、金融機関や大手IT企業などが管理・運営する。そして、信頼できると考えられるコンピュータを選んで、その集まりによって情報の記録作業を行なう。ここでは、プルーフ・オブ・ワークは用いられない。

スマートコントラクトとは

「スマートコントラクト」とは、コンピュータのプログラムの形に書くことができる契約のことだ。ある条件が満たされたときに、どのような行動を取るかを決めている。これをブロックチェーンに記録しておく。そして、事態が生じたら、行動を指令する。

こうして、人間が恣意的な判断を下さずに、コンピュータが自動的に契約を実行する。契約の交渉、締結、履行などをコンピュータが自動処理し、その記録をブロックチェーンに記録するのである。これによって、複雑な契約を、短時間で、低いコストで実行できる。

具体的な例で説明しよう。いま、Aさんがアマゾンで書籍を購入したいとする。この希望は、インターネットを通じてアマゾンに送られる。その情報はアマゾンで処理されるが、人間の手作業ではなく、コンピュータのプログラムで自動的に処理される。このシステムは、アマゾンが管理している。これが、現在の中央集権的な企業の仕組みだ。

この取引を、ビットコインの場合と同じような仕組みで自動化することができる。

もっとも、違いはある。ビットコインの場合には、送金があったという記録をブロックチェーンに書き込み、それを公表するだけで十分だ。しかし、いまの場合には、代金をクレジットカードで引き落としたり、書籍をAさんに発送するという作業が必要になる。

これらを、「スマートコントラクト」で行なう。スマートコントラクトは、Aさんからの注文によって発動され、実行される。そして、こうした取引を行なったことがブロックチェーンに記録され、公表される。

このように、スマートコントラクトが実行されることによって事業を進めていく組織を、DAO（Distributed Autonomous Organization：分散型自律組織）という。

DAOでは、中央集権的な管理主体なしに、事業を進めることができる。送金や記録などの単純なサービスだけでなく、複雑な業務を自動化できる。ルーチン的な仕事は、基本的に自動化が可能だ。

AIは単純労働を自動化するが、DAOは管理職の仕事を自動化するのだ。企業の管理職が現在行なっている仕事の大部分は、DAOによって取って代わられる可能性がある。

すでに稼働しているDAO

・仮想通貨

ビットコインは、最初のDAOであったと考えることができる。

誰でも参加することができるコンピュータのネットワークが形成される。ビットコインの保有者AさんがそれをBさんに送金したいとき、そのネットワークに向けて、Bさんにビットコインを送るという情報を、インターネットを通じて送る。

コンピュータのネットワークは、あらかじめ決められたルールに従って、この取引が正しいものかどうか（Aさんに確かに残高があるか？　二重支払いはないか？　など）をチェックする。

チェックができたら、それをブロックチェーンに記録する。この記録は、書き換えることができない。この取引情報が公開される（ただし、Aさんの名は、暗号で保護されている）。書き換えることができないので、この情報が公開されることによって、送金が完了することになる。

・保険

保険では、「P2P保険」というものが登場している。これは既存の保険会社を介さずに、少人数の保険加入者が直接に繋がってルールを設定し、新規加入者の受け入れ、見積もり、請求、払い戻しの実行などの事務を、スマートコントラクトとブロックチェーンによって自動的に処理するものだ。

また、「パラメトリック保険」というものもある。これは、事故の発生に応じて、ただちに保険金を支払う保険だ。フライト遅延が確認された場合に、スマートコントラクトによって自動的に保険金の支払いが行なわれる保険が、すでに提供されている。

・ＤｅＦｉ（分散型金融）

ＤｅＦｉと呼ばれるものが拡大している。銀行のような中央集権的組織なしに金融サービスを提供する。仮想通貨の取引だけでなく、融資、保険、デリバティブ取引など、より複雑なサービスが提供されている。

ビットコインの最初の形態は、いかなる組織の管理もなしに運営される仕組みだった。ところが、その後、取引所という中央集権型の組織が現れ、ビットコインと現実通貨との交換やビットコインの送金は、ここを通じて行なわれるようになった。したがって、管理者なしで金融サービスを提供するというビットコインの当初の性格は、薄れてしまった。それに対して、ＤｅＦｉは、ビットコインの最初の形に近い形で運営される。

金融は、基本的には情報を扱っているだけだ。したがって、業務の大部分をＤＡＯで運営することが可能だ。ただし、現在のＤｅＦｉが扱っているのは、仮想通貨だけだ。

これは、技術的な問題によるのではなく、規制当局との関係による。

未来の世界でDAOはどうなるか

ＤＡＯ化できる事業は、金融以外にも多数ある。例えば、オンラインショップは、かなりの程度ＤＡＯ化できるのではないだろうか？

スマートコントラクトの内容を、データによって補正すれば、硬直的行動ではなく、状況に対応して行動を変えていくことが可能になる。

そのためには、ＤＡＯが置かれた現在の状況を、正確に知ることが必要だ。ＤｅＦｉが現実通貨と結びつけば、詳細なマネーの取引データを提供できるだろう。

あるいは、銀行が保有する取引データを活用することも考えられる。「オープンＡＰＩ」とは、金融機関が保有する取引データを、外部の事業者に開放する動きだ。現在すでに、これを用いて、経理や給与支払いの事務が自動化されつつある。これをＤＡＯの運営に用いるのだ。

いま人間が行なっている作業を、ＡＩを用いて自動化し、事業の運営をスマートコントラクトで行なえば、人間がまったく関与しない完全無人企業を実現することができる。

業務のすべてをＤＡＯで置き換えるのが難しい場合には、事業全体をＤＡＯ化するのではなく、その一部分をＤＡＯ化することが考えられる。そして、人間との共同で運営するのだ。

◆第5章のまとめ

1．メタバース＝ＶＲではない。テレプレゼンス、デジタルツインやブロックチェーンの技術を用いることによって、可能性が大きく広がる。

2．企業がメタバースに大きな関心を寄せる理由は、メタバースでの経済取引が可能になるとの期待があるからだ。想像もつかないことが実現する可能性があるが、契約違反への対処や課税など、難しい問題が多数ある。

3. メタバースの利用は、エンターテインメント関係だけではない。買い物の品選びでも重要な役割を果たす。実際の契約を現実世界で行なえば、契約違反への対処などの面倒な問題を回避できる。官公庁の窓口業務をメタバースでできるようにしてほしい。

4. NFT（非代替性トークン）というブロックチェーンの新しい技術を用いると、メタバース内のデジタル創作物を売買することができる。ただし、NFTの意義は強調されすぎているように思われる。

5. ブロックチェーンとスマートコントラクトによって、無人企業DAOが可能になる。金融サービスではすでに稼働しているが、今後、多くの分野に登場するだろう。これによって、人間の働き方が大きく変わる可能性がある。

第6章　自動運転とEVで生活は大きく変わる

1　完全自動運転が実現したら、社会はどう変わるか

きわめて大きな変化が自動車に起きる

ＥＵの欧州委員会は、２０３０年代までにレベル５の完全自動運転が標準となる社会を目指している。中国政府が２０１５年に発表した「中国製造２０２５」は、２０３０年にレベル４（高度運転自動化）からレベル５の自動運転車を新車の10％とする目標を掲げている。

日本では、内閣に設置されたＩＴ総合戦略本部が２０１７年に発表した「官民ＩＴ

S構想・ロードマップ2017」で、2025年前後に高速道路におけるレベル4の実用化を目指している。なお、自動車メーカーは、2020年代に、一般公道でのレベル5の実用化を目指している。

アメリカの主要都市で、運転手のいない自動運転車の商用運行が広がってきた。中国でも、IT大手が完全無人タクシーのサービスを開始するなど、米中で自動運転の技術開発が加速している。

自動運転が引き起こす経済的・社会的変化

自動運転に関して議論されることの多くは、技術的な側面だ。これはもちろん重要なことだ。しかし、問題は技術的なものにとどまらない。経済的・社会的な問題も大きい。この点において、きわめて大きな変化が近い将来に起きるのは間違いない。

社会的な影響でとくに大きなものとして、つぎの2つがある。

第一は、ドライバーの失業だ。この問題があるため、技術的に可能であっても、規制によって導入が制限される事態が考えられる。

第二は、仮に利用が広まれば、経済活動の空間的パターンが変わることだ。人々の移動の仕方が変化すれば、経済活動や住居の地域的な分布がいまとは異なるものとなり、地価に影響を与えるだろう。

大量失業問題にどう対処するか

技術的な観点だけから見れば、レベル5の自動運転が可能になれば、タクシーやトラック、バスなどのドライバーは必要なくなる。

ただし、自動運転車が技術的に可能になったからといって、現実に使われるとは限らない。自動運転車が実際にどの程度利用されるかは、自動運転のコストに依存する。ここでコストとは、直接的な利用費用だけではなく、安全確保のために社会全体として必要とされるコストも含む。また、失業や他の事業への影響も考える必要がある。

これらのコストがどうなるかは、市場の競争状況や法規制などにも依存する。タクシーやトラック、バスなどに自動運転を導入する場合の大きな問題は、多くのドライバーが職を失う可能性だ。

これまでも自動化に伴って、タイピスト、電話交換手、エレベーター操作手などの仕事が不要になった。しかし、変化はあまり大きな摩擦を起こすことなく進展した。それは、経済成長が続いていたために、新しい職に就けたからだ。しかし、いまのような低成長経済では、失業問題を解決するのは容易ではない。

このため、タクシーやバスなどを無人化することについて技術的な問題が解決され、安全性が確保されたとしても、なおかつ「さまざまな規制によって実際には導入できない」という事態は、十分に考えられる。

実際、日本では、ウーバーなどのライドシェアリング（乗り物を複数人でシェアすること）が、現在そのような状態にある。免許を持たない個人がフリーランサーとしてタクシー業務を行なうことは、過疎地域などごく一部の地域において例外的に認められているにすぎない。

仮に導入されるとしても、無人タクシーをどの程度認めるか、料金をどのような水準にするかなどに関しては、規制がなされるだろう。これは、無人タクシーがどの程度普及するかに大きな影響を与えるだろう。

自動車産業の情報化が進む

自動運転の技術的な側面でも、日本の状況は決して楽観できない。

ここで重要なのは、AIによる画像認識技術であり、アメリカと中国の技術が優位にある。

さらに、「自動車のソフト化」が進むという問題がある。アメリカのテスラは、ハードウェアを交換しなくても、ソフトウェアを調整するだけで、ハードウェアを交換したのと同じような結果が得られる車を製造している。

これらの点で、状況が大きく変化している。時価総額において世界一の自動車メーカーはテスラだが、これは、決してバブルとは言えない。

自動運転が導入されれば大きなメリット

失業問題がいかに重要であると言っても、自動運転導入によるメリットを無視するわけにはいかない。

まず事業体としては、人件費を節約できるし、労働問題も発生しないので、導入を望むはずだ。そして、自動運転を導入した企業は事業効率を上げ、導入しなかった企業を駆逐《くちく》するだろう。

社会全体の観点から見たメリットも、きわめて大きいと考えられる。高齢化が進めば、自動車が必要でありながら運転できない人が増える。また、労働力不足が今後さらに進展するため、ドライバー確保の困難さが増すだろう。こうした問題に対処するために、自動運転を導入する必要性が高まる。

他国が自動運転を導入していく中で日本だけがそれを認めなければ、日本の経済的地位が低下するのは不可避だ。したがって、さまざまな障害はあるにせよ、長期的に見れば、レベル5の自動運転がいずれ導入されることは間違いない。

地域間格差が是正され、都市内の地価は平準化する

仮に自動運転が広範に導入されることとなれば、経済活動の空間的パターンが変わるだろう。

日本全体として見た場合には、過疎地や地方都市が、自動運転のメリットをより強く享受すると考えられる。これらの地域においては、公共的な交通機関が未整備である場合が多く、それが地域経済の疲弊化をもたらしている。しかし、自動運転車が安いコストで利用できるようになれば、利便性が飛躍的に高まるはずだ。

後述のように物流システムが無人化すれば、この傾向はさらに強まるだろう。こうして、地域間格差が是正されることが期待される。

都市の内部においても、土地利用のパターンが変わるだろう。鉄道駅の近くでなくても利便性が高まるので、地価分布はより平準化されたものになる可能性がある。つまり、駅から離れている場所が住みやすくなるので地価が上がり、逆に駅の近くの場所は相対的な優位性を失うだろう。

物流が大きく変わる

物流の形態も、大きく変わると予想される。

トラックが無人化されれば、物流コストは低下し、効率が向上するだろう。さらに、配送ロボットというものが考えられており、さまざまな実証実験が始まっている。これは、宅配拠点から配送先までの「ラスト1マイル」の配送を担うものだ。

これが実用化されると、物流に必要なものは、倉庫と配送ロボット、それと物流拠点間を結ぶ無人トラックとドローンだけ、ということになるかもしれない。

これは、物流の効率を向上させるので、ドライバーの失業問題と技術的な問題が解決されれば、かなり急速に普及する可能性がある。これによって、過疎地における買い物難民の問題が解決されることが期待される。

店舗がいらなくなる

ただし、自動配送にも問題がないわけではない。もしこれが進展すると、リアルな店舗が不要になる可能性があるからだ。

いま「アマゾン効果」ということが問題とされている。これは、eコマース拡大によって実店舗が減っている現象だ。小売業の店舗数は、この10年間で2割程度減少している。書店は、約3割程度減少している。

しかし、現状では、宅配のための運転手が足りないことが、eコマース拡大の制約になっている。ところが、自動運転トラックや配送ロボットは、この問題を解決することになる。すると、新しい「アマゾン効果」によって、実店舗の減少に拍車がかかる可能性がある。

これは都市の様相を大きく変えるかもしれない。アメリカでは、新興国工業化の影響で製造業が縮小し、工場であったところがショッピングセンターになるという変化がこれまで生じていた。日本でも、モータリゼーションの進展によって郊外ショッピングセンターが成長した。しかし、店舗そのものが不要となれば、ショッピングセンターも不要になる。

現在アメリカでは、アマゾン効果によってショッピングセンターが減っているのだが、この動きが、自動運転で決定的になる可能性がある。

自動運転の影響は以上にとどまらない。より大きな影響は、「自動車を所有しないで利用する」という形態が広がることによって生じる。これについて、次節で述べる。

2 自動運転で生活環境は大きく変わる

自動車は所有するものでなく、利用するものに

タクシー、トラック、バスなどの自動運転や配送ロボットは、どれも大きな変化だ。しかし、自動運転で引き起こされる変化の一部でしかない。さらに大きな変化は、乗用車について生じる。つぎの3つの可能性が考えられる。

(1) いまは、自動車を「所有する」ことによって利用しているが、完全自動運転になっても、これが継続するシナリオ。

(2) カーシェアリングが進むシナリオ。これは、すでに進展しつつある。大手自動車メーカーが展開しているサービスでは、好きな車を1分単位で借りられ、どこでも乗り捨て可能。

(3) 運転手のいない自動運転のタクシーが登場し、普及するシナリオ。これは「ロボタクシー」と呼ばれる。

いつまでも（1）のままであるとは想像しがたく、最終的には（3）に移行していくと考えられる。

もしロボタクシーが広範に普及すれば、自動車の利用法は現在とは大きく変わる。タクシーを呼べば、運転手のいない車が到着する。それに乗って目的地まで行き、そこで乗り捨て、帰りにはまたロボタクシーを呼んで自宅まで帰る、といった利用法になるだろう。

つまり、乗用車を保有するのはタクシー会社だけになり、個人は乗用車を保有せず、利用するだけになる。

ロボタクシーの運営は、第5章の5節で述べたＤＡＯが行なうかもしれない。そうなれば、タクシー会社は、ドライバーも事務員も経営者もなしに運営されることになるだろう。

自動車の保有台数は激減する

シェアリングやロボタクシーが普及すれば、自動車の稼働率が顕著に上昇すると考えられる。現在、自家用車の稼働率はきわめて低く、一日の大部分の時間は駐車場に置かれたまま、使用されていない。日本では自家用車の平均稼働率は、4・2％程度と言われている。

もしすべての自家用車がロボタクシーに転換すれば、稼働率が大きく上昇し、現在に比べて著しく少ない台数の自動車で済むことが予想される。

仮に稼働率が4％から100％に上昇し、かつ買い換え頻度が現在と変わらないとすれば、単純に考えれば、自動車の生産台数は現在の25分の1で済むことになる。

もちろん実際には、頻繁に買い換えられるようになるため、販売台数や生産台数はそれほど減るわけではない。ただし、自動車1台当たりの走行距離が延び、自動車の生産台数が激減する可能性は否定できない。

乗用車の保有台数や生産台数がどうなるかは、さまざまな要因に依存する。これについては、いくつかの予測がなされている。

コンサルティングファームのPwCは、「自動車産業を転換する5つのトレンド」（2018年5月）で、つぎのように予測している。

ヨーロッパでは、車両保有台数は、現在の2億8000万台超から、2030年には2億台へと、25％余り減少する。アメリカでも22％減少する。頻繁に買い換えられるため、販売台数はヨーロッパでは34％増加する。アメリカでは20％増加する。しかし、仮にロボタクシーの普及が進めば、保有台数は14％に減る。また、販売台数が50％に減少する可能性がある。

自動車産業が大きく変わる

20世紀の先進国経済は、自動車産業を中心にして発展した。それに伴って、鉄鋼業や石油産業などが成長したのだ。以上で見たような変化が生じれば、こうした構造が大きく変わることが予測される。

自動車産業は、日本の最も重要な産業の一つだから、それがこのように変わることは、日本経済に甚大な影響を与えるだろう。

生産台数が激減する可能性があるだけでなく、自動車産業の構造が変わるだろう。自動運転車で重要なのはハードウェアではなくソフトウェアなので、自動車産業の主役がメーカーではなくなり、ＡＩによる自動運転に関するものにシフトするだろう。

携帯電話では、２０００年代に同様の変化が起こった。スマートフォンへの移行が生じ、ハードウェアを作る携帯端末メーカーからＯＳを提供するソフトウェア企業へと主導権が移った。この結果、アップルとグーグルが業界をリードする企業となったのだ。

自動車の自動運転の分野では、グーグルの子会社であるウェイモが、実験車の走行キロ数などで、圧倒的にリードしている。この状況を考えると、スマートフォンの場合と同様の変化が生じることが予想される。研究開発の重点が自動運転にシフトしていくと、日本から海外に出て行ってしまうかもしれない。

また、ロボタクシーの増加によって影響を受けるのは、メーカーだけではない。個人の自家用車を相手にする修理工場などは、必要なくなるだろう。

地価が暴落する?

自動車を保有しないことの影響は、以上だけではない。自動車を保有しなくなれば、駐車場の多くがいらなくなる。

現在、都市の面積のかなりの部分が駐車場によって占められている。これが不要になるわけだ。アメリカでは駐車場の海の中に建物があるようなところも多いので、土地利用に大きな影響があるだろう。

日本でも、有料駐車場が占めている面積は無視できない。これが不要になれば、地価に対して大きな下落圧力が働くだろう。

また、都心部のビルなどでは、地下駐車場が大きな比率を占めている。これも、ほとんど不要になり、ビルの建築形態が大きく変わるだろう。

朝日新聞（2022年9月8日）は、「マンションの機械式立体駐車場が、お荷物になっている」ことを伝えている。東京都の多摩地区にあるマンションで、高齢化やカーシェアリングの普及で車を持たない住民が増えており、駐車場に空きが出ている。

ところが、機械式立体駐車場は、毎年の保守点検費用とは別に、部品の交換や機械の更新のために、今後30年間で4億5000万円もの費用が必要になる。取り壊すにしても、1億円以上の費用がかかるのだという。

最近では、若い世代でも車を所有しない人が増えている。今後、自動運転車が増えれば、こうした現象は加速するだろう。

こうして、都市の土地利用が変わるだろう。アメリカの都市も変わるだろうが、日本の都市も変わるだろう。日本では、人口の減少によって土地に対する需要が減少している。それに加えて駐車場がいらなくなることで、土地の供給が増大することになる。これは日本の不動産事情にきわめて大きな影響を与えるだろう。

自動運転が可能になったときのシナリオとしては本節の最初に述べたような3つがあるが、どのシナリオが実現するにしても、すべての家庭が自家用車を持つという生活スタイルの見直しとともに、都会では、コミュニティバスなどの公共輸送機関をもっと拡充すべきだ。ただし、公共交通機関が不便な地域で、自家用車に頼らざるをえない地域があることは否定できない。こうした場合には、地域でのライドシェアリングを認めるべきだ。

ライドシェアリングによる自動車の利用効率の向上は大変重要な課題であり、世界各国がそれに取り組んでいる。ところが日本では、ライドシェアリングが事実上禁止されている状態だ。これを見直す必要がある。

免許制度は不要になる

以上で述べたことは乗用車の利用形態がどうなるか、とくにロボタクシーがどの程度普及するかによって、大きく変わる。それとは関わりなく、自動運転が可能になれば生じる変化もある。

レベル5の完全自動運転が実現されれば、それらは免許証なしで利用できるようになるだろう。現在でも、タクシーに乗るのに免許証を必要としないことを考えれば、当然のことだ。事実、アメリカのカリフォルニア州は、「自動運転車のドライバーは運転免許証を携行する必要がない」とする方針を、連邦政府に認可請求している。そうなると、免許制度はいらなくなり、教習所もなくなってしまうだろう。

自動車が完全自動運転になれば、交通事故は8割以上減少するといわれる。そうなると、交通警察は縮小を余儀なくされ、警察は大量の余剰人員を抱えることになる。警察は、自動運転化によって、最も大きな影響を受ける分野の一つなのだ。

自動車保険も大きく変わる

現在の自動車保険は、「自動車が事故を起こす」ことを前提に構築されている。しかし、交通事故が激減すれば、自動車保険に対する必要性も大きく減るだろう。

新しい自動車保険は、事故が発生した場合のメーカーなどの責任や、被害者の救済制度と、一体のものとして考えられる必要がある。完全自動運転車が事故を起こした場合の責任は、自動車会社などが負うことになるだろう。ただし、責任を負う主体が、プログラムを開発した企業なのか、自動車というハードウェアを製造したメーカーなのかが問題となる。

また、事故の原因が車両側にあるか、交通システムにあるかによっても、責任を負うべき主体が異なってくる。こうして、自動車保険の構造も大きく変わるだろう。

3　EVへの移行は進むか

地球温暖化対策として、EVへの転換が必要

地球温暖化を防ぐために、脱炭素を目指すことはどうしても必要なことだ。ＥＶは排ガスを発生しないため、大都市の大気汚染の問題を引き起こさない。

また、石油輸入への依存度を下げるという意味においても、ＥＶへの転換が求められる。もちろん、発電のために化石燃料を用いるのであれば、国全体として見た場合に、ＥＶへの移行が環境を改善するかどうかは自明ではない。しかし、少なくとも大都市における環境がＥＶへの移行によって改善することは間違いないと思われる。

このため、各国でＥＶへの転換が国策とされている。

中国では、２０１９年に「ＮＥＶ規制」（New Energy Vehicle 規制）が導入された。これは、ディーゼルやガソリンの内燃機関自動車からＥＶへの転換を求めるものだ。

これにより、中国の自動車メーカーは、２０２０年以降、販売台数の12％以上をＮＥＶにすることが義務づけられている。こうした政策の結果、中国のＥＶ保有台数は世界

一になっている。各国が、２０３５年以降のガソリン車の新車販売禁止の目標を掲げている。

ヨーロッパでEVへの移行が進む

ヨーロッパでは、ＥＶへの移行が進んでいる。２０２０年９月のデータでは、つぎのとおりだ。

イギリス６・７％、フランス５・９％、ドイツ８・０％、スウェーデン12・７％、オランダ17・７％、ノルウェー61・５％。

ヨーロッパ全体では、自動車市場の約８％をＥＶが占める。

アメリカでは、２０２１年の国内でのＥＶ新車販売台数は約63万台。自動車全体の３％にとどまっている。２０２０年のＥＶ登録台数をメーカー別で見ると、テスラ車が約20万台で、全体の７割を占める。

中国では、新エネルギー車（ＮＥＶ）の２０２０年末時点の保有台数は４９２万台で、全体の１・７５％を占めた。

日本では、2020年12月に二酸化炭素の排出を実質ゼロにする長期目標に向けた「グリーン成長戦略」を公表した。国内で販売する新車を遅くとも2030年代半ばまでにすべてEVにする。しかし、日本におけるEVのシェアは、わずか0・7%だ。

日本の自動車メーカーは、EV時代に対応できるか

日本でのEV普及率は、海外に比べて遅れている。

こうなる大きな理由は、自動車産業の事情だ。EV化すると、自動車の生産工程が現在とは大きく異なるものとなり、エンジンをはじめ、さまざまな部品が必要なくなる。これが雇用に悪影響を与えることが、EV化の足を引っ張っている可能性がある。

EVは、ガソリン車とは違って組み立てが容易だ。モーターや電池等の部品は重要なのだが、それらを組み立てることは容易になる。つまり、自動車が家庭電化製品のようなものになる。

すると、日本の自動車産業が得意とする「擦り合わせ（複数の部品を、正しい接触状態で組み立てること）」の優位性を発揮できない。こう考えると、日本の自動車産業の

将来は楽観できない。

◆第6章のまとめ

1. 自動車の自動運転技術が急速に進歩しつつある。「レベル5」と言われる完全自動運転の実現も、遠い将来のことではない。レベル5では人間が運転する必要はまったくないので、それが一般道路でも可能になれば、社会に大きな変化が生じ、仕事や生活がいまとは異なるものになる。

2. 自動運転の時代になれば、自動車を巡る環境は一変する。自動車は保有するものから利用するものに変わるだろう。そうなれば、生産量が激減する可能性がある。地価にも多大の影響を与え、生活のスタイルも大きく変わる。

3．地球温暖化を防ぐために、脱炭素社会の実現が必要だ。そのために、各国が内燃機関自動車からEVへの転換を図っている。しかし、雇用に与える影響など、さまざまな問題がある。

第7章 再生可能エネルギーで脱炭素を実現できるか

1 日本の将来のエネルギーは大丈夫か

2050年カーボンニュートラルの実現に向けて

世界のエネルギー事情は、大きく変化している。再生エネルギーの活用拡大、脱石炭火力、ＥＶの導入などの大きな転換が予想される。

また、ロシアのウクライナ侵攻によって、原油や天然ガスの価格が高騰し、今後、エネルギーの確保が困難になることも懸念される。日本は国内にエネルギー資源をほとんど持っておらず、エネルギー確保に本質的な脆弱性を抱えている。こうしたことからも、日本のエネルギー長期政策は重要だ。

では、日本のエネルギーはどうなるのだろうか？ これについての政府の基本的な方向を示す「エネルギー基本計画」が、２０２１年10月に閣議決定された。

これは、ウクライナ問題以前のものだ。ロシアによる侵攻をきっかけに、日本のエネルギー計画も見直しが必要とされるかもしれない。この問題については、次節で検討するが、それに先だって、その基本になる計画がどのような内容かを知っておく必要がある。

これは、第6次計画になる。第5次計画までと比べて大きく違うのは、気候変動対策を重視したことだ。脱炭素に向けた世界的潮流の中で、２０２０年10月に、菅義偉《すがよしひで》首相（当時）が「２０５０年カーボンニュートラル」を宣言した。第6次計画では、その実現に向けて、２０３０年度の温室効果ガス排出量を、２０１３年度比で46％削減するとしている。

不名誉な「化石賞」を受賞した日本

第5次エネルギー基本計画では、2030年度の温室効果ガス排出目標は、2013年度比26%削減だった。そして、石炭火力や原子力に重点を置いていた。これは、他の先進国と比べて大きく遅れたものだった。第6次計画で再生可能エネルギーの主力電源化の方針が確立され、日本の長期目標もようやく先進国並みになったと言われた。

ただし、十分かどうかは、問題だ。2021年10月31日から11月12日にイギリスのグラスゴーで開かれたCOP26（国連気候変動枠組条約第26回締約国会議）で、日本は不名誉な「化石賞」を受賞した。ここで批判されたのは、第6次エネルギー基本計画が、石炭火力発電などを残す方針を定めたためだ。

2022年11月にエジプトのシャルム・エル・シェイクで開かれたCOP27でも、日本は「化石賞」を受賞した。

一方で、第6次計画が中間目標として2030年度に2013年度比で温室効果ガス排出量を46%削減するとしたことは、達成困難な「人気取り」であり、「無責任」との批判もある。

省エネでエネルギー需要を23%削減

第6次計画は、2030年度の国内エネルギー需要を、省エネ実施前で3億4200万kl（原油換算）と予測。そして、省エネによって、このうち6200万klを削減するとしている。それによって、2030年度の国内エネルギー需要を2億8000万klとする。これは、2013年度比で23%減だ。

省エネの具体策としては、つぎのような取り組みが予定されている。

・低炭素工業炉の導入（削減効果400万kl）
・住宅・建築物の省エネ（削減効果900万kl）
・運輸部門での燃費性能向上・次世代自動車の普及（削減効果1000万kl）、トラック輸送の効率化（削減効果400万kl）、

再生可能エネルギーは、欧米では50〜70%

第6次計画における2030年度の電源構成（エネルギーミックス）は、つぎのとお

りだ。

・再生可能エネルギー：36〜38％
・火力発電：41％
・原子力発電：20〜22％
・水素・アンモニア発電：1％

これによって、発電時に温室効果ガスを排出しない非化石電源を約6割にする。ただし、ここには、つぎのような問題がある。

再生可能エネルギーの比率は、現在は18％だ。また、第5次計画では22〜24％だった。だから、36〜38％はかなりの引き上げだと評価できる。

しかし、ヨーロッパやアメリカでは、50〜70％という目標値を設定している。36〜38％と言うが、これはすでにドイツが達成した数値だ。ドイツやEUでは65％、米カリフォルニア州は60％の目標を掲げている。これらに比べれば、日本の数字は見劣りがする。

再生可能エネルギーの内訳は、つぎのようになっている。

・太陽光：14〜16％（現在6・7％）
・風力：5％（現在0・7％）
・地熱：1％（現在0・3％）
・水力：11％（現在7・8％）
・バイオマス：5％（現在2・6％）

なお、再生可能エネルギーを拡大するには、技術だけでなく、制度の改革も不可欠だ。再生可能エネルギーとは、分散型の電源を大量に導入することであり、それを経済的に成り立たせるためには、送電網の開放などの競争条件を整備し、新規参入者が既存業者と同じ条件で事業を行なえることが必要だからだ。

火力への依存の高さは、ウクライナ問題で見直しが必要？

火力発電41％の内訳は、つぎのとおりだ。

・ＬＮＧ：20％（現在39％）
・石炭：19％（現在31％）
・石油等：２％（現在６・３％）

ここで問題なのは、石炭の比率の高さだ。先進国では、２０３０年までに石炭火力を全廃する国が多い。その中で日本は、石炭火力の比率が高い。グローバルスタンダードからは程遠い。また、エネルギーの海外依存を続けることにもなり、エネルギー安全保障上も問題がある。この問題は、ウクライナ問題の勃発によって、大きな修正を求められるのではないだろうか。

火力発電を維持するための手段としてＣＣＳ（二酸化炭素回収・貯留）を含む脱炭素火力、その燃料となる水素・アンモニアへの期待が高い。確かに、水素・アンモニアは、脱炭素時代において新たな資源として位置づけられる。ＦＣＶ（燃料電池自動車）の動力源としても注目される水素は、社会全体への実装を加速させていくだろう。

しかし、これらは現時点で商用化されているとは言えない。技術面からもコスト面からも、不確実性が大きい。

原子力への過剰な期待は禁物

経済産業省によると、原子力発電の目標達成には、30基程度の稼働が必要だ。ところが、福島第一原発事故後にできた新規制基準に適合した原発は10原発17基にすぎない。そのうち再稼働したのは、西日本に立地する6原発10基だけだ。

新基準に適合しても、東京電力柏崎刈羽原発や日本原子力発電の東海第二原発のように、再稼働に対する地元の同意が得られるかどうか不透明な原発もある。政府の掲げる目標は、審査、事故対策工事、地元の同意などすべてが順調に進まない限り、達成できない。

原発が、さまざまな点で課題を抱えることは、否定できない。それらを考慮すると、第6次計画が目指す水準は過大な目標だと言わざるをえない。

産業構造の改革が必要

温室効果ガス削減のためには、排出量の8割以上を占めるエネルギー消費産業の取り組みが重要だ。しかし、日本は、エネルギー多消費型の産業である製造業がGDPの約2割を占めるので、その実現は容易ではない。

２０１９年度では企業・事業所他部門が最終エネルギー消費全体の62・7％を占めた。その中では、製造業が最大のシェアを占め、２０１９年度の割合は69・４％だった。日本のエネルギー問題を考える場合、製造業の比率がこのように高い産業構造をどうするかという問題を切り離せない。

日本では低下しつつあるとはいえ、依然として製造業が大きな比重を占めている。これをどのように改革していくか？　情報産業の比率を高めることが必要だし、製造業においても、世界的な水平分業化を図る等の改革が必要だ。だから、エネルギー計画は、日本経済の全体構造に関わる課題として捉える必要がある。

2 原発の所要稼働台数を計画の3分の1に減らせるか

ロシアのウクライナ侵攻が変えた「エネルギー見通し」

ロシアのウクライナ侵攻で、世界のエネルギー事情が大きく変わった。

西側諸国は、ロシアの原油や天然ガスに、これまでのようには依存することができなくなった。

EUは、2022年7月、天然ガス使用量を15%削減し、ロシア産ガスへの依存を減らす方策について合意した。

日本も影響を受ける可能性がある。プーチン大統領は、2022年6月、三井物産と三菱商事が出資するロシア極東の天然ガス・石油開発プロジェクト「サハリン2」の運営を、新たに設立するロシア企業に移管するよう命令する大統領令に署名した。

サハリン2から日本に供給される天然ガスは、国内消費の約1割に相当する600万トン程度だ。仮にこの供給がなくなれば、日本の天然ガス需給に大きな影響があるのではないかと懸念された。ただし、その後、日本企業の新会社への参画がロシア政府によって承認された。

「原子力発電の稼働を急げ」との意見が強まるだろう

こうした事情を受けて、つぎのような議論が強まると予想される。

原油や天然ガスをロシアに頼ることは、経済安全保障の観点から大きな問題だ。したがって、原子力への依存を高めるべきだ。

前節で述べたように、第6次計画で発電に占める原子力の比重は、かなり高めに見積もられている。この実現のため、稼働を急ぐべしとの議論が出てくるだろう。

岸田文雄首相は2022年7月の会見で、この冬に原子力発電所を最大9基稼働させる方針を示した。さらに、原発再稼働や原子力利活用に向けた取り組みも始める必要があるとした。その後も、原子力発電に関する前向きの発言が続いている。

サハリン権益の喪失は、長期的には大問題ではない

前述のようにサハリン2への日本企業の関与は続きそうだが、仮に、当初懸念された

ようにサハリン権益を喪失したとすれば、日本のエネルギー事情にどれほどの影響を与えるだろうか？

第6次エネルギー基本計画では、電力需要を、2013年度の9896億kWhから2030年の8640億kWhへと12・7％減らすとしている。比例配分で計算すれば、2020年から30年では、7・5％程度の減少になる。その上で、電源構成での天然ガスの比率を現在の37％から2030年には20％に減らすこととしている。すると、天然ガスの必要量は、現在の半分程度になるだろう。

このように考えると、サハリン権益の喪失によって天然ガスの供給量が1割減ったとしても、2030年の需給に大きな影響を与えることはないと考えられる。

第6次計画は、将来の経済成長率としてかなり高い値を仮定している。しかし、以下に述べるように、実際にはその成長率を実現できない可能性が高い。そうだとすれば、2030年度の天然ガス必要量はもっと減少するだろう。

エネルギー基本計画での想定成長率は高め

基本的な問題は、将来の成長率に関する想定だ。なぜなら、エネルギー需要は、経済成長率に強く依存するからだ。

高い成長率を想定すれば、将来のエネルギー需要は増える。しかし、成長率が低ければ、カーボンニュートラルの制約の下でも、非化石電源を増やす必要性は弱まる。だから、原子力にさほど頼らなくても済む。

では、第6次計画では、将来の経済成長率をどのように想定しているのだろうか？「マクロ経済の前提」の資料によれば、つぎのとおりだ。

「財政収支試算」（内閣府、中長期の経済財政に関する試算、2022年7月）の「成長実現ケース」で想定している2013～2022年度の実質経済成長年率の平均値は1・7％だ。この値を2024年度以降に適用している。その結果、実質GDPは、2022年度の約600兆円から、2030年度には711兆円と、18・4％増になる。

しかし、1・7％は、「成長実現ケース」という架空の数字だ。そして、かなり高めの数字である。

実際、ＯＥＣＤの改定長期予測（２０２１年10月）によれば、２０３０年における日本の実質ＧＤＰは、２０２０年の10・３％増になるだけだ。

過去の成長率を見ると、もっと低い。年平均成長率は、２０１３～２０２１年の間では０・４４％、２０１５～２０２１年の間では０・２４％、２０００～２０２１年の間では０・６５％だ。

仮に０・２４％をとれば、２０３０年のＧＤＰは、２０２２年の１・７％増にしかならない。したがって、２０３０年におけるＧＤＰは、第６次計画想定値の85・９％に止まる。

こうなれば、状況はかなり変わってくる。総エネルギー需要は、計画が想定するより減少し、ＬＮＧの需要も右で見たよりは減少するだろう。

原発の所要稼働数は30基から10基に減らせる

経済成長率の想定を変えると、原子力発電に対してどのような影響があるか？

第６次計画での必要稼働数は、30基とされている。ＧＤＰが計画ほど成長せず、電力需要が減っても、前記のように85・9％程度になるだけだから、一見したところ、必要稼働数は26（≒30×0・859）基程度に減少するだけで、依然として状況は厳しいように思われる。

しかし、実はそうではない。その理由は、つぎのとおりだ。

第6次計画では、電源構成における原子力のウエイトを、21％（正確には20〜22％）にするとしている。つまり、原子力以外が79％だ。原子力以外の発電絶対量を維持したままで、全体の電力需要を減らせるとすれば、原子力が受け持つべき発電量を減らすことができるはずだ。あまり無理しなくてもよい範囲にまで縮小することが可能かもしれない。

具体的に計算してみると、つぎのとおりだ。いま、2022年のGDPの規模を1と指数化しよう。すでに見たように、基本計画では、30年のGDPは1・184だ。発電総量は1・184a。ここでaは、GDPから発電量に換算する係数である。

基本計画では、総発電量のうち79％を原子力以外が担当する。これは、発電量で言えば、0・79×1・184a≒0・935aだ。

　ところで、仮に、2030年のGDPが、1・184ではなく、過去の成長率から見て現実的と思われる1・017に止まるとしよう。その場合には、発電量は1・017aだ。原子力以外の発電絶対量を変えなければ、その比率は、0・93a／1・017a＝0・914になる。つまり、原子力以外の比率は、79％から91・4％に、12・4％ポイント上昇する。

　そうすれば、原子力のウエイトを21％から8・6（＝21－12・4）％に引き下げることができる。すると、2030年の原子力の所要発電量は、つぎのようになる。

　計画では、総発電量1・184aの21％だから、0・25a。いまの計算では、総発電量1・017aの8・6％だから、0・087a。これは、計画の34・8（0・087a÷0・25a）％だ。稼働台数で言えば、30基とされているものを、その34・8％である10基程度にまで引き下げることができる。これは、基本計画とはかなり異なる姿だ。

　なお、以上では原子力以外の発電絶対量を維持するとしたが、この中には化石燃料も含まれている。カーボンニュートラルの観点から、その絶対量は減らすべきだとの意見があるかもしれない。その場合には、再生可能エネルギーだけを維持してもよい。この場合にも、原発所要台数を減らすことができる。このように、経済成長率のいかんによって、将来のエネルギー問題の性格は大きく変わるのだ。

なお、誤解のないように付記するが、私は、経済成長率が低いほうがよいと言っているわけではない。第1章で述べたように、経済活動のさまざまな側面で、高い経済成長率が問題を解決する。だから、成長率の引き上げに努力すべきだ。

しかし、現実的ではない高い成長率を想定することは、将来の姿をゆがんで捉えることを意味する。その結果、問題解決の方向づけを誤る危険がある。原子力発電にどの程度依存すべきかという問題は、その一つの例だ。重要なのは、将来の姿をできるだけ正確に捉えることだ。

◆第7章のまとめ

1．脱炭素に向けての日本の取り組みは、第6次エネルギー基本計画に示されている。火力発電への依存度が高いこと、原発に対する依存度が高いことが問題だ。

2．将来の経済成長率として現実的な値を想定すると、原子力に対する依存度をかなり引き下げることができる。

第8章　核融合発電、量子コンピュータの未来

1　実現が難しい技術はどうなるか

核融合発電は実現できるか

未来社会の基本的な枠組みと条件を決めるのは、科学技術の水準だ。

これに関する包括的な調査・研究が2019年11月に文部科学省科学技術・学術政策研究所「第11回科学技術予測調査　S&T Foresight 2019　総合報告書」によって行なわれた。

ここでは、専門家によるデルファイ法による予測が行なわれた。デルファイ法とは、

アンケートで得られた結果をフィードバックし、再度同じテーマについて回答を求める方式だ。他の参加者の意見を見ると、考えが修正されることもある。こうした過程を何度か繰り返すことによって、収束した見解を得ることを目指す。

最初に、核融合発電を見よう。これは、私の学生時代から「夢のエネルギー技術」と言われてきたものだ。もしこれが実用化されれば、人類はほとんどゼロのコストで、クリーンなエネルギーを手に入れることになる。原子力発電所の安全性に気を遣う必要もなく、ロシアによる液化天然ガスの禁輸に慌てる必要もない。

ところが、前記報告書によると、これは「実現が遅れる技術」に含まれる。「科学技術的実現が２０３６年以降」と予測された科学技術トピック23件の中に含まれるのだ（同報告書の図表３－13、科学技術的実現が遅い科学技術トピック）。

実現は２０４７年とされている。私が学生であったときから期待され続けてきたにもかかわらず60年間実現していないのだから、仮に２０４７年に実現すれば素晴らしいとも考えられるのだが、それにしても遠いことは事実だ。

エネルギー分野では、新技術にあまり期待できない?

「近い将来に実現できない」ということは、重要な情報だ。そうした技術に安易に依存するのではなく、他の対策を考えなければならないからだ。

エネルギー関係で同報告が「実現が遅れる技術」としているものは、核融合発電の他につぎのものがある(括弧内は、予想実現可能時)。

・高レベル放射性廃棄物中の放射性核種を加速器の使用により核変換して、廃棄物量を激減させる技術(2041年)。

・核燃料サイクル及び一体型高速炉(IFR)を含む高速増殖炉(FBR)システム技術(2038年)。

・事故時にも避難が不要になるレベルまで安全性が高められた商業利用可能な小型モジュール原子炉(2037年)。

・濃縮度5%超の燃料が使用可能、プラント寿命が80年、立地条件を選ばないなどの特徴を有する次世代軽水炉技術(2036年)。

また、技術の未来予測では、しばしば「宇宙太陽発電システム」(宇宙空間で太陽光を利用して発電を行ない、電力を地上に伝送するシステム)が将来実現されるとしているのだが、この報告書によれば、その実現時は2040年だ。

「海水中から経済的にウランなどの希少金属を回収する技術」や「深度5000メートル程度に存在する超臨界水を利用した地熱発電技術」も、実現時が2039年と遅い。「メタンハイドレート採掘利用技術」や「空気中から効果的にヘリウムを回収する技術」は、2036年だ。

こう見てくると、エネルギーに関しては、新しい技術にあまり期待できないような気がしてしまう。

ただし、比較的早期に実現できるものもある。それらについては、後で述べることとしよう。

人工光合成、海洋都市、宇宙建築も難しい

人工光合成は、カーボンニュートラル実現のための重要技術と言われているのだが、「二酸化炭素の還元による再資源化（燃料や化学原料を合成）をエネルギー効率20％以上で可能とする、光還元触媒および人工光合成」の実現は２０３６年だ。

また、「海洋ポテンシャルを利用し、海に新しいエコシティと新しいエコライフスタイルを実現する海洋都市の建設技術」「宇宙空間や月および火星面での宇宙建築」は２０４３年なので、人類が居住地域を飛躍的に拡大していくことは、容易でないようだ。

このように見てくると、地球温暖化問題を革新的な技術で一挙に解決することは難しく、地道な努力で取り組んでいかなければならないことが分かる。

2 比較的早期に実現できる技術

2030年頃に実現可能になる技術

ここまでは実現が困難なものについて述べたが、早い時点で実現可能になる技術も多

数ある。

これらについては『令和2年版 科学技術白書』（以下、『白書』）が、前記報告を要約して紹介している（第2章 2040年の未来予測―科学技術が広げる未来社会―）。

以下にあげるのがそうした技術で、およそ2030年頃に実現可能になり、2033年頃に社会が受け入れると考えられている。

製造業、天然資源関連の技術

再生可能エネルギーに関して、つぎのような技術が利用可能になる。

・50MW級の大容量の発電が可能な洋上浮体式風力発電。
・経済的で大規模な安定供給が可能な、長期の水素貯蔵技術。
・太陽光・風力発電の余剰電力を用いた水素製造。
・小都市（人口10万人未満）において、スマートグリッド制御システムを用いて100％再生エネルギーのスマートシティ化が実現する。

なお、小型電子機器類、廃棄物・下水、汚泥焼却飛灰からレアメタルを回収、利用する技術も実用化される。これらは、持続可能な社会を形成するために、重要な技術だ。

さらに、ＥＶが普及すれば、原油の輸入を減らせるだろう。電池が必要になるが、交換不要で長寿命、かつ低コストの電池が利用可能になると予測されている。これらは、天然資源に乏しい日本にとって歓迎すべき進歩だ。

なお、『白書』のリストは、製造業関係の技術進歩として、つぎのものをあげている。

・カスタマイズされた製品を大量生産並みのコストで生産できる３Ｄプリント。

・経年劣化・損傷に対する自己修復機能を有し、ビル等の建築構造物の機能を維持できる構造材料。

移動とコミュニケーション関連の技術

『白書』のリストは、情報システムや移動システム関係で、２０３０年頃に実現可能になり、２０３３年頃に社会が受け入れる技術として、つぎのものをあげている。

・量子情報通信技術の発展により、ＩＣＴシステムの安全性の根拠が、既存の暗号技術に基づくものから、量子技術等に基づく新たなフレームワークになる（これについては、次節で詳述する)。
・レベル5の自動運転(完全自動運転:場所の限定なくシステムがすべてを操作する)が可能になる。
・自律航行可能な無人運航商船。
・都市部で人を運べる「空飛ぶ車・ドローン」。
・サービス産業、物流産業に作業用ロボットが広く普及することによる、無人工場、無人店舗、無人物流倉庫、無人宅配搬送の実現。

『白書』の予測は、コミュニケーション関連で実現可能になり、2033年頃に社会が受け入れる技術として、つぎのものをあげている。
・世界中の言語の自動翻訳。
・発話ができない人や動物が言語表現を理解したり、自分の意思を言語にして表現したりすることができるポータブル会話装置。
・あらゆる言語をリアルタイムで翻訳・通訳できるシステム。画像認識と音声認識が融合したリアルタイム自動翻訳。

・誰もが遠隔地の人やロボットの動作の一部もしくは全身を自在に操り、身体の貸主や周囲の人と協調して作業を行なうことができる身体共有技術。

・話し言葉であっても、文脈を捉えた文章に自動整理・文字化できるＡＩシステム。

・非定形の文章・会話から、所望の情報を抽出できる自然言語処理技術。

・教育にＡＩ・ブロックチェーンが導入され、学校の枠を超えた学習スタイルが構築され、生涯スキルアップ社会が実現。

なお、ＡＩを用いる自動翻訳システムは、さまざまなところで開発されている。ここで述べている『白書』の情報ではないが、メタが口頭の会話をリアルタイムで翻訳するシステムを開発し、公開している。

リアルタイム自動翻訳が実用化すれば、デジタル移民が押し寄せる

右にあげた技術の中でとくに注目されるのが、リアルタイム自動翻訳だ。

どの程度の精度のものかにもよるが、英語や中国語、韓国語だけでも、一般に利用で

きるようになれば、人々の働き方に大きな変化を引き起こすだろう。なぜなら、これによって、国際的な在宅勤務が可能になるからだ。リチャード・ボールドウィンは、『グロボティクス』（日本経済新聞出版社、2019年）の中で、オンラインで国境を越えて仕事をする専門家を、「遠隔移民（テレマイグランツ）」と呼んでいる。

日本はこれまで言葉の壁で守られてきた。例えば、インド人には、かなりの教育をしない限り、業務をこなすだけの日本語能力は身につかない。だから、仮にオンライン技術が発達しても、インドに在住するインド人を日本企業が雇うというような変化は、日本では起きなかったのだ。それは、日本の労働者を守ったと言える。しかし、逆に言えば、日本の生産性向上を阻害したことにもなる。

しかし、自動翻訳の技術が進めば、こうした状況を続けるわけにはいかない。とりわけ専門家の間では、言葉の壁はさほど大きな障害ではない。だから、リモートワークの環境が整えば、デジタル移民が押し寄せてくる可能性がある。では、どのような分野でそうした変化が起きるか？　それを見るにはアメリカで起きたことが参考になる。

まずデータ処理の仕事がある。会計や法律関係の仕事は、その国に特有の制度があるので容易ではないが、補助的な仕事では可能だろう。

IT関連は、オンライン・アウトソーシングに最も適した分野だ。しかも、日本ではこの分野の人材が不足している。条件が整えば、多数の専門家がデジタル移民として参入してくる。

インドの一人当たりGDPは、日本の20分の1程度だ。専門家の賃金も、日本の20分の1程度と考えてよいだろう。そうした人々が大量に参入した場合、日本のIT産業は根底から変わらざるをえないだろう。

フードテックの可能性

農業関連の新技術で、2030年頃に実用化するものも多い。これらは食品関連の経済活動にITなどの新しい技術を応用しようという動きで、「フードテック」と呼ばれる。具体的には、つぎのようなものだ。

・人間を代替する農業ロボット。
・自動運転トラクタ等による無人農業、IoTを利用した精密農業の普及と、それらを通じて取得した環境データ等に基づいた環境制御システム。
・収穫した作物を、ドローンで集荷場所等に自動運搬するシステム。
・人工肉などの人工食材をベースに、オーダメイドで製造（造形）する3Dフードプリント技術。

フードテックが必要とされる背景として、まず世界的な人口増加がある。現在75億5000万人である世界人口は、今後も増加を続け、2055年には100億人を突破すると予測されている。人口増加は、アフリカなどの低所得国で生じる。このため、食料の生産が追いつかず、世界の飢餓人口が8億人にもなる懸念がある。

経済学者のマルサスは、食料生産が人口増加に追いつかないため、経済成長が制約されると指摘した。これまでは、農業生産の拡大によって、マルサスの予言を回避することができた。しかし、従来の食料関連産業の枠を超えた技術進歩を実現しないと、将来の問題に対処できないおそれがある。この問題をフードテックが解決することが期待される。

フードテックが要求される理由は、他にもある。現在、農業生産から消費に至る過程で、食料の3分の1が捨てられている。このような無駄を排除することが必要だ。また、人手不足が予想される中で、労働生産性を引き上げる必要もある。

もう一つ重要なのは、食の安全確保だ。日本では、食料自給率を引き上げるべしとの議論が従来から強い。そして、ロシアのウクライナ侵攻によって、この議論が高まっている。しかし、フードテックによって、問題が解決される可能性がある。

フードテックは、さまざまな分野で進められている。第一は、新材料の開発だ。これについては、食肉の代替が進められている。材料を分子レベルで解析することによって、リアルな肉の食感や味をつけることが可能だ。これは、分子ガストロノミー（分子調理法）と呼ばれるもので、日本でもすでにいくつかの商品が販売されている。

第二は、農業生産の分野だ。IoTやAIを活用したスマート農業や、農場作業自動化などのAgTech（アグテック）と呼ばれる動きがある。さらに、ロボットトラクタ、植物工場などの開発も進められている。

このようにして食料関係の経済活動は、現在とはかなり異質なものとなるだろう。このリストには現れていないのだが、植物工場は、すでに実用化されている。

こうしたことによって食料が生産されれば、農業の形は大きく変わるだろう。問題は、農家がこうした技術進歩を受け入れるかどうかだ。

3 量子コンピュータと量子暗号とは何か

この問題がなぜ重要なのか

これまで見てきた未来技術は、医療技術にせよエネルギー技術にせよ、あるいはメタバースにせよ、どのようなものであるかを具体的にイメージすることができる。そのため、生活や産業活動にどのような影響があるかを想像しやすい。

それに対して、本節で述べる量子コンピュータと量子暗号は、どのようなものであるかを具体的にイメージすることが難しい。このため、その重要性が過小評価されがちだ。

しかし、これは、インターネット通信の安全性に関して本質的な重要性を持つ問題なのである。

なぜなら、仮に量子コンピュータの計算能力が著しく高まれば、現在のインターネットを支えている暗号の仕組みが壊されてしまうかもしれないからだ。これは、世界が覆されてしまうほどの大事件だ。前節の「移動とコミュニケーション関連の技術」で、「ICTシステムの安全性の根拠が、既存の暗号技術に基づくものから、量子技術等に基づく新たなフレームワークになる」と予測されていることを紹介した。これが、この問題である。これはインターネットにおける安全な通信のために、きわめて重要な意味を持つ問題なのである。

したがって、この分野の専門家でない人々（私もその一人だが）も、問題の基本を理解している必要がある。本節では、このような観点から、量子コンピュータと量子暗号の基本的事項を、やや詳細に説明することとする。

インターネットの通信は、暗号で守られている

量子コンピュータと量子暗号の重要性を理解するには、インターネットでの通信がどのようにして保護されているかを知る必要がある。

インターネットでは、「公開鍵暗号」というものが用いられている。これは、「公開鍵」と「秘密鍵」で構成される暗号のシステムだ。

公開鍵も秘密鍵も、数字と記号の組み合わせである。基本になるのは秘密鍵だ。これを用いて公開鍵が生成される。なお、公開鍵から秘密鍵を推測することはできない。公開鍵は誰に知られてしまっても構わない。

送信者は、公開鍵を用いてメッセージを暗号化する。受け取り手は、それに対応した秘密鍵を用いた場合に、暗号メッセージを復号（暗号化されたメッセージを元に戻し、読める状態にすること）できる。復号できるのは、その場合のみだ。さまざまな可能性を試みればいつかは復号できるかもしれないが、それには途方もない時間が必要になるので、実際にはできない。

また、秘密鍵を用いてメッセージを暗号化することもできる。それは、対応した公開鍵を用いた場合に、そして、その場合においてのみ可能だ。

なお、公開鍵暗号については、拙著『仮想通貨革命』の補論で、数値例を用いて詳しく説明した。詳細は、これを参照されたい。

公開鍵暗号は、インターネット上の商取引で、一般的に使われている。例えば、私がアマゾンで本を買い、代金の支払いのためにクレジットカード番号を送信するとしよう。アマゾンの公開鍵は、誰でも取得できる。私も、送金の手続きを取れば、自動的に取得することになる。私が送るクレジットカード番号は、この公開鍵で自動的に暗号化される。

この暗号を復号できるのは、秘密鍵を持っているアマゾンだけだ。第三者が通信を傍受しても、クレジットカード番号を知ることはできない。

仮想通貨は、電子署名のために「公開鍵暗号」を使っている

ビットコインなどの仮想通貨は、公開鍵暗号を電子署名のために使っている。

いま、太郎が花子に1BTCのビットコインを送りたいとする（BTCは、ビットコインの単位）。太郎は、「1BTCを送金する」というメッセージのハッシュ値（後述）を計算する。これを自分の秘密鍵で暗号化したものを電子署名という。そして、メッセージとともにビットコインの取引データを記録しているコンピュータの集まりに送る。

太郎の公開鍵は誰でも知ることができるのだから、電子署名は誰にでも復号できる。何のためにこんなことをしているのか?

太郎の公開鍵で復号できれば、署名の発信者は確かに太郎であり、太郎以外の人間ではないことが分かるからだ。つまり、署名者は、太郎のなりすましではない。また、後になってから、太郎が「送金していない」と否認することもできない。

受信者はまた、メッセージのハッシュを計算する。それが送られてきたハッシュと一致すれば、メッセージが途中で改ざんされていないことが分かる。

なお、メッセージは暗号化されていないことに注意。ビットコインでは、送金した事実は公開されているのだ。電子署名は、仮想通貨以外にも広く使われている。

仮想通貨の「プルーフ・オブ・ワーク」

仮想通貨では、以下に述べるような「プルーフ・オブ・ワーク」という作業が行なわれる。ここでは、「ハッシュ」というものが使われる。これは、あるメッセージを要約して得られるデータだ。同じメッセージからは、同じハッシュが得られる。違うメッセージからは、違うハッシュが得られる。ハッシュから元のメッセージを推測することはできない。このような性質を持つハッシュを計算するための関数（ハッシュ関数）が、いくつか作られている。

「プルーフ・オブ・ワーク」とは、つぎのような作業だ。10分間の全世界のビットコインの取引がコンピュータの集まりに送られ、コンピュータがある計算を行なう。その計算とは、（1）ブロックに入っている取引のデータ、（2）前のブロックのハッシュ値、および、（3）ナンス（ある数）からハッシュを計算し、「その値が一定の条件（先頭から一定数の0が続くという条件）を満たすように、ナンスを決める」という計算である。

この問題を効率的に解くための方法は、存在しないと考えられている。したがって、一つずつ数を確かめていくしか、正しいナンスを見出す方法はない。

最初に正しい答えを見出したコンピュータは、一定量のビットコインを得る。この計算作業は、「マイニング」とも呼ばれている。

仮に悪意のあるコンピュータが、後になってからブロックの記録を書き換えたとする。

すると、そのブロックの正しいナンスの値は変わってしまうから、現在のブロックにつなげるには、そのブロックから現在のブロックまで、すべてのブロックについて計算をやり直さなければならなくなる。そのためには大変な計算量が必要であり、とても実行できない。これによって、ブロックチェーンの改ざんが、事実上不可能になっている。

このように、インターネットの暗号通信、電子署名、仮想通貨のプルーフ・オブ・ワークは、「ある種の数学的問題を解くのに、効率的な計算方法（アルゴリズム）が見出されておらず、いちいち数字を当てはめて計算しなければならないが、それには非常に長い時間がかかる」ということによって守られている。

力ずくで解く

1994年、AT&Tベル研究所のピーター・ショア（のちにMIT〈マサチューセッツ工科大学〉教授）は、因数分解問題や離散対数問題を効率的に解くことができるアルゴリズム（「ショアのアルゴリズム」）を見出した。ただし、これは、現在あるコンピュータではなく、量子コンピュータの上で稼働するアルゴリズムだ。

素因数分解などは、現在のコンピュータではリーズナブルな時間で解くことはできないが、仮に実用的な量子計算機が実現すれば、リーズナブルな時間で解くことができる。したがって、公開鍵暗号などの安全性は、崩れることになる。

では、ショアのアルゴリズムを実行できる量子コンピュータは、実現できるのか？これについて、つぎに述べる。

状態の重ねあわせが重要

量子コンピュータが実用化すれば、現在インターネットで使われている暗号が破られてしまうかもしれないと述べた。そうなれば、現在のコンピュータ・セキュリティが崩壊する危険がある。それは、さまざまな面できわめて大きな影響を及ぼす。

われわれが量子コンピュータについて知っている必要があるのは、このように大きな影響がありうるからだ。

まず、ハードウェアの面から量子コンピュータを見よう。現在のコンピュータにおいて、情報の基本単位は「ビット」であり、0と1だ。これを、素子に電圧がかかっているか、いないかで実現する。

量子コンピュータでは、シリコンチップの中に閉じ込められた電子などの状態を制御する。電子の状態は「スピン」という概念で表される。これは電子が自転している様子を表すパラメータだ。

ここで重要なのは、量子力学的に言うと、電子はさまざまな状態が「重なりあった状態」で存在していることだ。しかし、観測機器で電子を観測すると、いずれかの状態に収縮する。

スピンの方向は、電流を流して磁場を発生させることによって制御する。交流電流を流す時間によって、自由に調節できる。「量子ゲート」とは、チップに一定時間交流電流を流し、スピンを狙った角度まで回すことである。

量子コンピュータが得意な分野は限られている

量子コンピュータは、すべての計算問題において画期的な役割を果たすわけではない。並列計算が活用できる問題の場合に、計算スピードが速くなり、利用価値がある。

ただし、従来のコンピュータより劇的に速く処理できるアルゴリズムは、限られている。実用性がある量子アルゴリズムは、現在、数種類しか開発されていない。

一つは、「ショアのアルゴリズム」だ。先に述べたように、これは素因数分解に威力を発揮する。もう一つは、「グローバーのアルゴリズム」と呼ばれるものだ。これは、大量のデータの中から、ある条件に合致するデータを見つけるためのものだ。

量子コンピュータのいくつかのタイプ

2001年12月、IBMは、7量子ビットの量子コンピュータの実験に成功した。ショアのアルゴリズムでデモンストレーションし、15（＝3×5）の素因数分解に成功した。

同社は、2016年5月に量子コンピュータをクラウドで公開し、誰でも使えるようにした。これは、超伝導物資で作られており、極低温で稼働する。

右に述べたのは、「量子デジタルコンピュータ」と呼ばれるものだ。この他に「量子アナログコンピュータ」または「量子イジングマシン方式」と呼ばれるものもある。

この方式では、格子状のモデルをコンピュータの中に物理的に作って、問題と同じ状況を再現し、シミュレーションを行なう。すでに実用化されている。

カナダの企業D-Waveは、この方式の量子コンピュータを製造した。これは、量子イジングマシン方式の中の「量子アニーリング方式」という方式を使っており、極低温で生じる量子現象を利用している。ノイズに強い。

ただし、用途は「組み合わせ最適化問題」（巡回セールスマン問題など）と「サンプリング」にほぼ限定され、あらゆる問題に応用できるわけではない。例えば、ショアのアルゴリズムを実行することはできない。

なお、イジングマシン方式の中には、「レーザーネットワーク方式」と呼ばれるものもある。これは、レーザー照射によって量子現象を発生させる方式で、常温で稼働する。

量子コンピュータでも破れない暗号が開発されている

「量子コンピュータが実現すれば、現在の公開鍵暗号では、インターネットのセキュリティが確保できなくなるおそれがある」と述べた。

他方で、量子コンピュータでも解くことが難しい暗号として、さまざまなものが提案されている。これらは「耐量子コンピュータ暗号」と呼ばれる。その代表は、「格子暗号」と「量子鍵配送」だ。

こうしたことを考えると、量子コンピュータが実用化されたからといって、直ちに仮想通貨やブロックチェーンが使えなくなってしまうわけではないことが分かる。

「格子暗号」と「量子鍵配送」とは

「格子暗号」(Lattice-based Cryptography) は、安全度を飛躍的に高めた公開鍵暗号である。量子コンピュータを利用しても、解読する方法は見出されていない。格子暗号としては、いくつかの方式のものが考えられている。

「量子鍵配送」(Quantum Key Distribution：QKD) では、公開鍵暗号とは異なり、暗号化も復号も同一の秘密鍵で行なう。そして、秘密鍵を相手に送り届けるときに、盗聴されたかどうかを確認できる形で伝送する。

具体的には、秘密鍵を運ぶ媒体として光子の状態を利用する。秘密鍵の情報を光子の状態として表し、光ファイバーなどのチャンネルを通じて受け手に送る。光子など素粒子の状態を外から観測しようとすると、状態が変わってしまう。

したがって、第三者によって盗聴されて再送信された場合には、光子の状態が変わってしまう。送信者と受信者の間でデータを照合し、食い違いが一定以上あれば、盗聴があったことが分かる。その場合には、やり直す。

食い違いが一定以下なら、共有できた秘密鍵を共通の秘密鍵とする。そして、送りたいデータを秘密鍵で暗号化して送信し、受信者は鍵を使って解読する。暗号化は、どのようなシステムを用いてもよい。そして、その伝送には通常の伝送システムを用いてもよい。

一度使った秘密鍵は使い捨てにして、送るたびに新しい秘密鍵を作る。

量子鍵配送は、政府や軍事機関などですでに利用されている。また、欧米や中国では、ベンチャー企業などを中心に、金融・情報分野で商用化されている。

ただし、現時点では、光子の伝送のために専用の光ファイバーや大がかりな専用装置が必要になるので、コストが高くなる。そこで、宇宙では光子はほとんど減衰しないことを利用して、人工衛星を経由して送ることが考えられている。これが実現すれば、大陸間でも量子鍵配送が可能になる。

格子暗号が主としてソフトウェアで対応しようとしているのに対して、量子鍵配送は主としてハードウェアと量子力学的現象で対応しようとしているわけだ。この方式は、「ある数学的問題がリーズナブルな時間内に解けない」という性質に依存しているわけではないので、量子コンピュータが実用化されても破られることはない。

◆第8章のまとめ

1. 核融合発電が実用化されれば、人類はエネルギー問題から解放されるが、その実現は容易ではない。地球温暖化問題を革新的な技術で一挙に解決することは難しいようだ。

2．ＡＩによる自動翻訳技術が発達することが期待される。リアルタイムの自動翻訳が実用化されれば、国境を越えた在宅勤務が可能になる。それは、これまで言葉の壁で守られてきた日本社会に大きな変化をもたらすだろう。

3．現在のインターネットの通信は、公開鍵暗号によって安全が守られている。しかし、量子コンピュータが発達して計算速度が飛躍的に向上すると、このシステムが破綻する危険がある。また、ブロックチェーンに記録されたデータが改ざんされる危険もある。ただし、量子コンピュータでも解くことができない暗号が開発されつつある。

第9章　未来に向けて、人材育成が急務

1　日本のデジタル化は「バック・トゥ・ザ・パースト」

AIやロボットで「働き方」が変わる

技術進歩によって、人々の働き方は大きく変わるだろう。作業用ロボットが普及すれば、無人工場、無人店舗、無人物流倉庫、無人宅配搬送が実現する。第5章の5節で述べたように、ブロックチェーンとスマートコントラクトによって運営される無人企業DAOが実現するかもしれない。

経済産業省の資料「新産業構造ビジョン」（2017年）は、2030年頃までに就業構

造に大きな変化が生じるとして、つぎのような予測をしている。

（1）上流工程（経営企画・商品企画・マーケティング、R&D）
経営戦略策定担当、M&A担当、データ・サイエンティストなどのハイスキルの仕事は増加する。ミドルスキルの仕事も増加する。

（2）製造・調達
IoT、ロボット等による省人化・無人化工場の進展や、サプライチェーンの自動化・効率化により、製造に係る仕事と調達に係る仕事は減少する。

（3）営業・販売
顧客データ・ニーズの把握や商品・サービスとのマッチングが、AIやビッグデータで効率化・自動化されるため、付加価値の低い営業・販売に係る仕事は減少する。

（4）サービス

AIやロボットによって、低付加価値の単純なサービスに係る仕事は減少する。例えば、大衆飲食店の店員、中・低級ホテルの客室係、コールセンター、銀行窓口係、倉庫作業員など。人が直接対応することがサービスの質・価値の向上につながる高付加価値サービスに係る仕事は増加する。例えば、高級レストランの接客係、きめ細かな介護、アーティストなど。

（5）IT業務

新たなビジネスを生み出すハイスキルの仕事は増加。マス・カスタマイゼーションによって、ミドルスキルの仕事も増加。

（6）バックオフィス

バックオフィスは、AIやグローバルアウトソースによる代替によって減少する。例えば、経理、給与管理等の人事部門、データ入力係。

デジタル庁発足から1年経ったが、デジタル化は進まない

前項で見たように、「新産業構造ビジョン」では、ＡＩやロボットによって、低付加価値の単純なサービスが減少するとしている。

ところが、現実の世界であらためて身の回りを見渡してみると、20年前、30年前に使っていた「デジタル技術」がいまだに幅を利かせている。そして、そのために、多くの人が、何とも非効率な仕事を強いられている。

これが「デジタル化の遅れ」と言われる現象だ。そして、この状態を改善すべく、デジタル庁が２０２１年９月１日に鳴り物入りで発足した。では、これによって日本のデジタル化は未来に向けて前進しただろうか？

２０２１年には、デジタル庁についてのニュースが連日のように報じられ、日本もようやく変わるのかという期待があった。しかし、その1年後には、デジタル庁は、ほとんどニュースに登場しない。日本のデジタル化の歩みは、止まってしまったのではないだろうか？　いやむしろ、後退しているのではあるまいか。

プリンタを使わなくなって20年経つが……

「後退している」と考えるのは、この数カ月間に私の身辺に起こった事情による。これまで20年近く使っていなかったプリンタを、購入せざるをえなくなったのだ。

私は、20年前、30年前には、プリンタを頻繁に使っていた。原稿の推敲のために、入力した文章を紙にプリントしていたからだ。原稿のさまざまな箇所を参照しながら修正したり、順序を入れ替えたりする作業には、一覧性のある紙で行なうのが便利だった。

その後、PCの性能が向上したために、紙に印刷する必要がなくなった。そして、プリンタを使わなくなった。ファクスやスキャナも廃棄した。

ところが、この数カ月間に、これらの機器を必要とする事態が立て続けに生じた。

第一は、メールで送ってきたPDFの書式をプリントして手書きで記入・署名し、郵送で送り返せという要請。

第二は、ウェブサイトにあるPDFをダウンロードしてプリントし、それに手書きで署名して持参せよという要請。

第三は、郵送してきた書類に手書きで記入して、ファクスで送れという要請。

第四は、書類を写真に撮ってメールで送ったところ、先方のシステムが読み取れないので、紙コピーを郵送せよという要請。

第三、第四の類の要請は、これまでも時々あった。面倒と思いながらコンビニエンスストアに出かけてコピーをとったり、ファクスで送ったりしてきた。しかし、第一、第二の要求は、コンビニでできなくもないのだが、かなり面倒だ。

昔使っていたプリンタを捨てずに残しておいたので、それを取り出してみたが、PCとの接続も、もはやできない。そこで何十年ぶりにプリンタを購入せざるをえなくなったのだ。

設定を終えて改めて考え直してみると、プリンタは厄介な機械だ。インクは高価で、しばしば交換しなければならない。しかも、インク詰まりの故障がよく起こる。

最近のIT機器からは、可動部分がほとんどなくなってしまった。PCの記憶装置はハードディスクだったが、いまやSSD(Solid State Drive)だけの機種も多い(私のPCもそうだ)。ところが、再び、扱いが厄介な機械を抱え込むことになった。気が重い。

日本のデジタル化は将来に向かって進んでいるのではなく、「バック・トゥ・ザ・パースト」だ。つまり、過去に向かって進んでいるように思えてならない。

相手に「オンラインでよいか」と頼めない

デジタル技術が進歩したため、われわれはいまや、必要とする情報の大部分をデジタル化し、それをオンラインで交換することが可能になっている。PDFの書式が必要だとしても、メールで送られてきたPDFに記入してメールで送り返せばよい。

右にあげた第二の要請（自筆でサインせよ）は、本人確認の意味があるのかもしれないが、署名を自書したところで、それにどれほどの意味があるのかは疑問だ。

右に述べた4つの要請は、いまやすべてオンラインで可能なものなのだ。それなのに、プリンタやファクスの使用を強制される。これは、まったく無駄なことと言わざるをえない。

私の場合にはごくたまに生じるだけだが、こうした無駄な手続きを、毎日強制させられている人も多いだろう。そのために、仕事に時間がかかり、能率が下がる。

そこで、「オンライン処理でよいか」と相手に要請したい。しかし、そうはできない場合がある。とりわけ問題なのは、相手が強い立場である場合だ。例えば、こうしたことを、中小・零細企業が大企業に頼むのは難しいだろう。また、大企業であっても、官公庁には要請できない。

中途半端な「デジタル化」を排除しよう

そこで、つぎのようなことをデジタル庁が決めてはどうだろうか？

それは、「ファクス、コピー機、そして、プリンタやスキャナを必要とする手続きは、相手に強制できない」とすることだ。

つまり、「デジタル手段で手続きを完結することを認める」ということだ。具体的には、「相手からの要請があった場合には、デジタル文書、ＰＤＦ、写真等をメールで送ることを認めなければならない」とすることだ。

誤解のないように申し添えるが、これは、「すべてをデジタル化せよ」と言っているのではない。相手が受け入れれば、デジタル以外の方法をとることは認める。

例えば、すべてを紙に手書きし、それを持参、あるいは郵送という方式は認める。これを認めなければ、いわゆるデジタル難民の問題に対処できないだろう。

右の提案の重要な点は、「中途半端なデジタル化を認めない」ということなのである。プリンタというのは、中途半端な存在なのだ。紙のシステムとデジタルのシステムを結びつける役割を果たしている。すべてをデジタルで処理できていれば、必要がないものだ。

20年前、30年前であれば、すべてをオンラインで処理することができなかったので、プリンタという機械が必要だった。しかしいまや、事実上すべての手続きをオンラインで完結できる。厳密な本人確認が必要とされるような場合を除けば、できる。私が先に述べたのは、そのようなケースだ。

また、現在の方式を双方が受け入れているのであれば、それはそれでもよい。一方が受け入れが困難としているときに、それを強制することはできないということだ。

なお、前記の要請は、大企業と官公庁に対してなされるものとする。中小零細企業や個人に対してはなされない。完全なオンラインに移行することが何らかの理由で困難かもしれないからだ。

ただし、オンラインに移行すれば、相手からもありがたく思われるし、自分の仕事の能率も上がる。それが分かれば、自主的に移行することになるだろう。

なお、「中途半端なデジタル化」は、他にもある。2022年4月に、山口県阿武町が給付金を誤送金した事件があった。その際、フロッピーディスクが用いられたことが話題になった。市役所や町村役場が税金や国民年金、国民健康保険料の引き落としなどでフロッピーディスクを使っているのは、珍しいことではないらしい。金融機関としては、それに対応せざるをえないのだろう。

私は「紙」を多用している

誤解のないようにつけ加えたいが、私は、日常の仕事で、紙を多用している。メモを紙片やノートに書いている場合がきわめて多い。実際、パスワードの記録にデジタルな手段を使うのは危険で、紙のノートにメモしておくのが最も安全だ。また、スケジュール管理のためには、一覧性のある紙の手帳が、最強の手段だ。

このように、紙はいまでもきわめて便利な手段なのだ。一覧性という点でこれをしのぐ手段は、近い将来には現れないだろう。

ところが、離れた地点にいる相手に情報を伝えることが必要になった途端に、紙は著しく不便なものとなる。持参するか、郵送することが必要になる。

スマートフォンで写真を撮って、あるいはそれをPDFに変換して、オンラインで送ることが考えられるが、その方式が許されない場合が多いというのが、右に述べたことだ。ここで提案したのは、紙を介在させる方式を強制しないでほしいということである。

今後、日本では、人手不足がますます深刻化する。それへの対処として、以上で述べたことは不可欠だ。また、エネルギー節約のためにも、大変重要なことだ。

2022年8月、デジタル庁は、行政手続き時にフロッピーディスクなどを指定する法令について、撤廃する方針を示した。やっと日本も、2000年頃の世界水準を目指して動き出した。

2 世界ランキングで分かる、日本の大学の立ち後れ

図表9-1　大学のランキングと経済力の比較

	GDPシェア	100位以内の大学数		人口	100位以内大学数（人口1億人当たり）	
	（%）	総合	コンピュータ	（百万人）	総合	コンピュータ
日本	5.9	5	2	125.2	4.0	1.6
アメリカ	24.5	27	30	334.8	8.1	9.0
韓国	1.9	6	5	51.6	11.6	9.7
中国	17.4	12	6	1,412.5	0.8	0.4

QSの資料などにより、著者作成

上位100校中の日本のシェアは5%。GDPシェアより低い

イギリスの高等教育評価機関クアクアレリ・シモンズ（Quacquarelli Symonds：QS）が、2022年6月に、世界大学ランキング2023を発表した。

このランキングは、THE（Times Higher Education）によるランキングと並んで、世界で最も信頼性が高いものと評価されている。これを見ると、世界における日本の大学の位置がどのようなものかがよく分かる。

2023年版で世界のトップ100位以内に入った日本の大学は、5校だ（23位の東京大学、36位の京都大学、55位の東京工業大学、68位の大阪大学、79位の

東北大学)。

GDPでは、日本は世界の5・9%のシェアを占める。これと比べると、トップ100校の中での日本のシェア(5%)は低い(図表9-1参照)。

日本の経済力が低下し、世界におけるシェアが低下していると言われる。しかし、それよりも、大学における国際的な地位のほうが低いことになる。日本はその経済力にふさわしい「大学力」を持っていないのだ。

韓国やアメリカでは、上位100校中のシェアがGDPシェアより高い

アメリカでは、100位以内に入る大学は27校もある(1位のMIT、3位のスタンフォード大学、5位のハーバード大学など)。GDPでの世界におけるアメリカのシェアは24・5%なので、上位100校のシェアは、これより高いのだ。

アメリカは経済力が強いだけでなく、その基礎となっている教育・研究面で、それ以上の強さを持っていることが分かる。

アメリカの人口(2022年で3億3480万人)は、日本の人口(1億2520万

人）の2・7倍だ。したがって、人口当たりで言えば、上位100校の数は、日本の約2倍ということになる（図表9－1参照）。つまり、アメリカ人は、優れた高等教育を受ける機会が、日本の2倍もあると言える。また、アメリカは、世界のさまざまな国からの留学生に対して、優れた大学教育を提供している。

韓国では、100位以内の大学数は、6校だ（29位のソウル国立大学、42位のKAIST〈韓国科学技術院〉、71位の浦項工科大学校など）。GDPでは、韓国は世界の1・9％だから、100位以内大学数は、これよりずっと高いシェアになっている。

韓国の人口は、日本の2・4分の1だから、人口当たりの上位100校の数は11・6校だ。日本の3倍近くという驚くべき数字になる。韓国が教育に熱心な国であることはよく知られているが、それは、このような数字によっても確かめることができる。

中国は12校だ。GDPでは、中国のシェアは世界の17・4％なので、これよりは低い。ただし、中国トップの北京大学は12位、第2位の清華大学は14位など、順位は東京大学や京都大学よりかなり高い。

コンピュータサイエンスで、日本の立ち後れは著しい

以上で見たのは、総合順位だが、専門分野別に見るとどうか？　これは「QS World University Rankings by Subject 2022」によって見ることができる。

以下では、「コンピュータサイエンスおよび情報システム」について見てみよう。

この分野で世界の100位以内に入る大学は、日本には2校しかない（東大45位、東工大100位）。右に見た「総合」の場合に比べて、数が減るだけでなく、順位も低下する。GDPでのシェアに比べると、3分の1でしかない。

日本は、デジタル化で立ち後れが目立つと言われる。それは、政府や企業の活動でデジタル技術の利用が進んでいないということだ。そうした実務面だけでなく、教育・研究においても、日本がデジタル化に著しく立ち後れていることが分かる。

アメリカは、この分野で世界100位以内に入る大学が30校もある。「総合」の場合より数が増える。つまり、アメリカの大学力は全般的に見ても強いが、とりわけコンピュータサイエンスという最先端分野において強いことが分かる。

韓国は5校、中国は6校だ。韓国・中国では、総合の場合に比べれば数は減るが、そ

れでも、日本より多い。また中国の清華大学が15位、北京大学が24位だ。東京大学が45位、東工大が100位であることと比べると、だいぶ水準が高い。韓国の人口は日本の約半分だから、人口比で言えば、韓国は日本の約6倍ということになる。きわめて大きな差をつけられている。

なお、アジアでは、香港（5校）、シンガポール（2校）などの大学が上位になっていることが注目される。

先端分野で、上位100校に入る大学数を現在の3倍にする必要がある

日本の大学は工学部が強いと思われているが、強いのは、古いタイプの工学部だ。例えば、機械工学だと、世界100位以内の大学数は4校になる（東大20位、東工大43位、京大52位、東北大72位）。コンピュータサイエンスに比べて、数も多くなるし、順位も上がる。

機械工学は、1980年代頃までの世界で重要だった学科だ。日本では、それが、いまでも工学部の中で大きな勢力になっていることが分かる。そして、これは、現実の日

本産業で、自動車産業が強いことと対応している。

しかし、第6章で見たように、自動車産業は大きな技術革新に直面している。とりわけ重要なのは、自動運転が進展し、自動車においてもコンピュータサイエンスの重要性が増すことだ。そのような世界において、日本の自動車産業が対応できるかどうか、大いに疑問だ。

日本が目指すべき目標として、コンピュータサイエンスの分野で世界ランキング上位100校に入る大学数の日本シェアを、日本のGDPシェア（5・9%）と同程度にすることが考えられる。そのためには、上位100校に入る日本の大学数を6校にする必要がある。いまの2校に比べて3倍にする必要がある。

このようにして初めて、他国と同じ水準の研究・教育水準を、コンピュータサイエンスの分野で実現できることになる。

新しい資本主義には「大学改革」が不可欠

政府は、2022年6月、「経済財政運営と改革の基本方針」（骨太の方針）を閣議決定した。岸田文雄首相が掲げる「人への投資」に重点を置き、3年間で4000億円を投じる。デジタルなど成長分野への労働移動を促すという。「新しい資本主義」は岸田政権の成長戦略の看板になる。

しかし、大学教育が右に見たような状況では、人材面で世界水準になることは望めない。日本では、とりわけデジタル人材が不足していると言われるが、十分な教育を大学がしていなければ、人材が育つはずがない。大学ファンドの構想もあるが、金だけ出したところで、研究や教育が進むわけではない。

また、巨額の補助金を出して、台湾の半導体メーカーTSMCの工場を熊本に誘致するが、ここで生産するのは、10年くらい前の技術を用いた半導体だ。こうした補助金をいくら出しても、最先端半導体には追い付かない。このように、いま考えられている方策では、展望は開けない。

日本の産業を発展させるためには、基礎となる研究開発と専門的人材の育成を行なう必要がある。日本が世界水準に追い付くには、大学での研究教育を根本から組み直すことが不可欠なのだ。

大学教育の状況は、未来を映し出す鏡だ。右に述べたような状況を根本的に改革しない限り、日本に未来は開けない。

3 デジタル人材育成の遅れが日本の遅れの基本原因

日本のデジタル競争力は、63カ国・地域中29位

現在の世界では、デジタル技術の活用がきわめて重要だ。それをビジネスの変革に生かせるかどうかによって、国の経済の強さが決まる。

ところが、日本のデジタル競争力はきわめて弱い。

スイスの国際経営開発研究所IMDが作成する「デジタル競争力ランキング2022」で、日本は、63カ国・地域中29位と、過去最低順位を更新した。

このリストの上位にあるのは、つぎのような国だ。1位デンマーク、2位アメリカ、3位スウェーデン、4位シンガポール、5位スイス。なお、韓国は8位、台湾は11位、中国は15位だ。

「企業の俊敏性」と「国際経験」では、日本は、63位と最低ランクの評価だ。

また、「ビッグデータ、アナリティクスの活用」でも63位、「デジタル・テクノロジースキル」では62位と、惨憺《さんたん》たる状態だ。「人材」では50位になっている。

高度成長を支えた日本式OJT

日本の経済パフォーマンスが望ましくなく、経済成長率などの指標で世界各国に後れをとる根本的な理由は、デジタル技術に日本がうまく対応できないことにある。その基本にあるのは、デジタル人材の不足だ。デジタル技術をビジネスの変革に生かす重要性が高まっているのに、人材がいない。これは、日本の人材育成方式に深刻な問題があることを示している。

日本企業は、これまで、人材の育成をOJT（オン・ザ・ジョブ・トレーニング）で行なってきた。実際に仕事をしながら、先輩が後輩に仕事に必要な知識や技術を伝授していく方式だ。この方式が高度成長期にうまく機能したのは、つぎの2つの理由による。

第一に、日本の高度成長過程においては、「先進国」というモデルがあった。どのような技術を用いてどのようなビジネスモデルで業務を進めたらよいかが、あらかじめ分かっていた。だから、試行錯誤する必要もないし、基礎理論から学習する必要もない。先進国の成功モデルを少しだけ修正して日本に当てはめれば、それで十分だったのだ。

第二に、日本企業では長期雇用が一般的だった。文字どおりの「終身雇用」ではないにしても、一生の大部分を一つの企業で過ごすのが普通だった。こうした環境下では、毎日の仕事を通じてＯＪＴを行ないやすい。

日本企業の生産性が１９８０年代頃まで世界のトップクラスだったのは、このような人材育成方式がうまく機能したためだ。それは、とくに製造業において顕著だった。

ＯＪＴからリスキリングへの移行が必要

しかし、１９９０年代頃から、世界経済に大きな構造変化が生じた。とりわけ重要なのは、デジタル技術の重要性が増したことだ。これによって、それまでの製造業に代わって、情報処理産業が先進国のリーディング・インダストリーになった。

また、その他の産業でも、仕事の中身や進め方を大きく変える必要が生じた。例えば、小売業が実店舗での対面販売からネット販売に移行すれば、必要とされる技能は、根本的に変わる。その他にも、本章の1節で見たような変化が生じる。これまで日本企業で支配的だったOJT方式では、このような変化に対応することができない。

このため、新しい技能を身につける「リスキリング（学び直し）」の重要性が高まってきているのだ。2022年1月、岸田文雄首相は施政方針演説の中で、「付加価値の源泉は、人的資本」と述べたが、そのとおりだ。

日本の人材投資は、異常と言えるほど不十分

では、日本でデジタル人材に向けてのリスキリングは、どの程度行なわれているか？

経済産業省の「未来人材ビジョン」（2022年5月）によると、4割以上の企業が、「技術革新により必要となるスキル」と「現在の従業員のスキル」との間にギャップがあると認識している。

また、47％のITエンジニアが、「技術やスキルの陳腐化に不安」を抱えており、44％が「新しい技術やスキルがいつまで習得できるか不安だ」と考えている。これらの

比率は、「その他の職種」の場合より高い。これは、ＩＴの場合には、技術の陳腐化スピードが速いことの反映だろう。

では、そのような状況に対して、現実にどの程度の教育が行なわれているだろうか？

前記の資料は、人材投資（ＯＪＴ以外）の国際比較（ＧＤＰ比：２０１０〜２０１４年）を示している。それによると、アメリカ２・０８％、フランス１・７８％、ドイツ１・２０％、イタリア１・０９％、イギリス１・０６％だ。それに対して、日本は０・１０％にすぎない。アメリカの場合の20分の1程度でしかない。

さらに、「社外学習・自己啓発を行なっていない人の割合」を見ると、日本は実に46％にもなる。他国が、高くても20％台、多くは10％台あるいはそれ未満であることと比較すると、日本の数字の高さは、異常と言ってもよい[注]。

このように、日本社会でのリスキリング教育の水準は非常に低い。ＯＪＴになれた日本企業は、大学教育での専門性を評価してこなかった。大学の側でも、社会の要請に応

（注）以上のデータの元資料は、学習院大学の宮川努教授推計、パーソル総合研究所調査。

える専門教育をするという意識が弱かった。それが、このような結果をもたらしているのだ。

日本は「人材競争力」でサウジアラビアに抜かれた

日本の大学におけるコンピュータサイエンスやデータサイエンスの教育はきわめて不満足な状態だ。それに加えて企業の研修がこのような状況では、ＩＴ人材が育つことは、絶望的と考えざるをえない。

ＩＭＤの World Talent Ranking 2021 によると、日本は39位で、中国（36位）、チェコ（37位）、サウジアラビア（38位）などより低い。なお、このランキングで上位にあるのは、１位スイス、２位スウェーデン、３位ルクセンブルクなどだ（アメリカは14位）。

２０２０年には日本は38位で、中国の40位より高かった。２０１３年を見ると、日本は27位で、中国48位より大分高かった。それ以後の期間で、中国は順位を上げたが、日本は下げたのだ。

こうした状況をどのように変えていくかを、真剣に考える必要がある。

デジタル田園都市国家構想は機能するのか

政府は、「デジタル田園都市国家構想」で、230万人のデジタル人材を育成するとしている。230万人の根拠は、つぎのとおりだ。

まず、マクロ的観点から、「大胆な仮説」をもとに推計し、330万人のデジタル人材が必要と設定する。他方、現在の情報処理・通信技術者は約100万人。そこで、230万人の育成が必要というのだ。これを2026年度末までに育成する（なお、「大胆な仮説」と言われていることの内容は、いかようにも解釈できるものなので、以上の数字に確たる根拠があるとは思えない）。

このため、リカレント教育として、大学・専門学校等が労働局や企業等の産業界と連携し、就業者などに教育プログラムを提供する。このプログラムでは、キャリアアップにつながるよう、リスキリングを推進し、応用基礎的なデジタル分野の能力の育成を進める。

大学と産業界が協力して教育するということのようだが、そのためには、大学教員の定員を増やさなければならない。どれだけの定員増が必要なのか？　予算措置をどうするのか？

こうした問題は、現実には非常に難しい。学内で定員一人を新学科に移すだけでも、現実には学内他部門の強い抵抗に遭遇し、決して簡単にできることではない。そうした中で現実を変えていくためには、政府がよほど強い指導力を発揮する必要がある。それが実際にできるのだろうか？

4 勉強しない日本の学生と、死に物狂いで勉強するアメリカの学生

日本では初任給が一律なので、大学生が勉強しない

前節で見たように、さまざまな世界ランキングで、人材面での日本の評価は低い。なぜだろうか？　その理由は簡単だ。日本人は、大学で勉強しないからである。

では、日本人はなぜ大学で勉強しないのか？　その理由は簡単だ。日本の企業が、大

学や大学院での教育成果を給与面で正当に評価しないからである。

日本の企業は、採用にあたって、大学卒という枠を設けている。ただ、それは、「大学卒の枠で採用した人員は、将来、幹部に昇進しうる」という意味であって、大学で学んだ専門知識を評価しているのではない。

その証拠に、大学卒新入社員の初任給は、一律同額であるのが普通だ。金融機関では、企業間でも1円の違いもないほど一律だ。大学卒と言っても、能力は個人によって大きな違いがあるはずなのだが、そうしたことは一切評価されない。

一方、大学は、よほどのことがない限り、入学した学生は卒業させる。だから、学生は勉強しない。そして、アルバイトとサークル活動に精を出す。

日本人が勉強するのは大学受験までの期間だというのは、日本の賃金制度の下では、合理的な行動なのである。

アメリカでは成績で賃金が違うので、学生は「死に物狂い」で勉強する

これは、アメリカの場合との大きな違いだ。アメリカの学生は、大学に入学してから、

あるいは大学院に入学してから「死に物狂いで」勉強する。なぜなら、そこでの成績で初任給が大きく違うからだ。

とくに、ロースクールやビジネススクールなど「プロフェッショナルスクール」と呼ばれる修士課程相当の大学院で顕著だ（それ以外の専門分野でも、大学生や大学院生は、非常によく勉強する）。

ＭＢＡなどの学位を取れば、著しく高額の初任給を期待できる。しかも、どのビジネススクールの、どの専門で、どれだけの成績だったかによって、初任給が大きく違う。

スタンフォード大学のビジネススクールの場合、基本給（年収）が全体の平均では16・2万ドル（1ドル＝144円として2333万円）だが、金融業では18・1万ドル（2606万円）だ。その中の「ベンチャーキャピタル」では、19・1万ドル（2750万円）である（2021年卒の場合）。

このように高給なのは、スタンフォード大学のＭＢＡだからだ。そして、スタンフォード大学のビジネススクールに入るには、大学の成績がよくなくてはならない。だから、大学生は死に物狂いで勉強する。

入学できても、自動的に学位が取れるわけではない。成績が悪ければ、途中で容赦なく落とされる。

そして、就職先の業種によって年収がかなり違う。どの業種の企業に入れるかは、成績に大きく影響される。だから、大学院生も死に物狂いで勉強する。

すべてがうまくいけば2000万円を超える年収だから、高額の授業料を払っても、ごく短期間のうちにそれを取り返せる。つまり、一流大学院で猛勉強することは、最も収益率が高い投資なのだ。アメリカは、この意味において学歴社会だ。

それに対して日本の状況は、「みじめ」としか言い様がない。「賃金構造基本統計調査」(厚生労働省)によると、25〜29歳の平均年収は、大学卒260・7万円に対して、大学院卒278・8万円である(男女計、2021年)。大学院卒をスタンフォードのMBAと比べると、10倍近い開きがある。

OECDの統計で平均賃金を見ると、アメリカは日本の1・9倍だ。専門職における日米賃金格差は、これより遥かに大きい。

大学を中退して成功した人びと

「アメリカは実力社会であり、大学卒であることは求められない」という意見がある。その証拠として引き合いに出されるのが、テスラCEOのイーロン・マスクの言葉だ。彼は、あるカンファレンスでの質疑応答で、「テスラの採用応募に大学の学位は必要ない。そして願わくは中退して何かを成し遂げていてほしい」と述べた。

マスク自身はペンシルベニア大学で学士号を取得しているが、スタンフォード大学の博士課程を中退して最初の会社を立ち上げた。アメリカには、大学を中退した成功者が、つぎのようにたくさんいる。

・ビル・ゲイツ（マイクロソフトの創業者、ハーバード大学中退）
・マーク・ザッカーバーグ（フェイスブックの創業者、ハーバード大学中退）
・スティーブ・ジョブズ（アップルの創業者、リード大学中退）
・スティーブ・ウォズニアック（アップルの創業者、カリフォルニア大学中退）
・ラリー・エリソン（オラクルの創業者、シカゴ大学中退）
・アラシュ・フェルドーシ（Dropbox の創業者、マサチューセッツ工科大学中退）

このように、世界をリードするＩＴ企業の創業者の多くが、大学を中退している。つまり、大学を卒業していなくとも大成功した人はたくさんいる、それは事実だ。

「大学を中退すれば成功する」ということではない

しかし、だからと言って、「大学での勉強には意味がない。だから、大学を卒業しなくともよい」と考えるとしたら、間違っている。

前記の成功者に共通しているのは、ＩＴ関係の企業の創業者であることだ。そして、中退するときには、すでに成功のきっかけを摑んでいた。何のあてもなく中退したわけではない。

むしろ、「成功がほぼ確実な事業を見つけたから、大学で勉強している暇はない」ということだったのだ（ビル・ゲイツは実際にそうしたことを述べている。なお、彼はその後、ハーバード大学から名誉学位を授与されているので、大学卒業者だ）。

もし彼らが、大学で勉強するのが嫌になったという理由で中退したのであれば、その後の成功がなかっただけではない。学歴社会のアメリカで、大変な苦労を強いられたことだろう。

岸田文雄首相は、所信表明演説で、「構造的な賃上げ」のためにリスキリングが必要だとした。その必要性を否定するわけではない。しかし、日本企業の賃金構造と大学の教育体制を根本から変えない限り、ここで述べた状況が変わることは期待できない。

◆**第9章のまとめ**

1．日本のデジタル化は、一向に進展しない。とくに問題なのは、プリンタなどの機器を使わないと完了できない「中途半端なデジタル化」を、相手から求められることだ。デジタル庁は、こうした事態を改善するために動くべきだ。

2．世界の大学ランキングを見ると、日本の立ち後れが目立つ。とくに、コンピュータサイエンス分野では、アメリカはもちろん、韓国に比べても著しい差がある。日本の未来を切り開くには、補助金をばらまくことではなく、大学を改革することが急務だ。

3．日本の人材は、世界ランキングで評価が低い。日本企業は、人材育成としてOJT方式を採ってきた。しかし、デジタル技術に関しては、この方式はうまく機能しない。このため、日本ではデジタル人材の育成が遅れ、それが日本経済の停滞につながった。

政府はデジタル田園都市国家構想でこの遅れを取り戻すとしているが、うまくいくかどうか、大いに疑問だ。

4．日本人は大学入試までは必死に勉強するが、それ以降は勉強しない。それは、日本企業が専門能力を評価しないからだ。アメリカでは、大学や大学院での成績で年収が決まるため、学生は必死に勉強する。

おわりに：われわれは、未来に対する責任を果たしているか？

かつての日本で、「黄金時代」は未来を意味した

私は1968年に『21世紀の日本』という本を書いた（東洋経済新報社、共著）。これは私の最初の著作だ。

この本が刊行された頃、日本で未来学ブームが起こっていた。そこでは、未来の経済は現在よりどれだけ成長し、生活がどれだけ豊かになるかが主要なテーマとされた。『21世紀の日本』も、サブタイトルを「十倍経済社会と人間」としたように、日本の経済規模が21世紀には10倍になることを基本的な骨組みとしたものだった。

「未来がいまよりよくなる」とは、当時の日本の状況から見て、当然のことであった。そうした期待が、現実の日本で実現していたからだ。

東海道新幹線や東名高速道路が開通し、遠距離移動に必要な時間が劇的に短縮した。

日本が先進国の仲間入りをしたことが、オリンピックという祭典で華々しく示された。会社の事業は年々拡大し、大学には新しい分野の学部や学科が次々に新設された。

「黄金時代は未来にある」というのは、その当時の日本人の誰もが、ごく当然のこととして疑わないことだったのだ。

ヨーロッパ文明の歴史観で黄金時代は過去を意味すると知ったのは、『21世紀の日本』を書いてから少しあとのことである。黄金時代が過去とは、実に不思議で、実に理解しにくい考えだと思ったのを、よく覚えている。

そのときから半世紀以上が経ち、いま周囲を見まわすと、あまりに大きな変化が生じたことに唖然とする。いま日本は、先進国の座から滑り落ちようとしている。こうした状況下で未来を黄金時代として描いたとしても、白々しい絵空事になってしまうだろう。

本書も、残念ながら、日本の未来を黄金時代として構想することはできなかった。

経済規模が10倍になるという壮大な話ではなく、成長率が1%なのか2%なのかという類の「虫めがねレベル」の議論しかできなかった。いまの日本で黄金時代とは、間違いなく過去の時代を形容する言葉なのだ。

未来は選択するもので、与えられるものではない

ところで、未来は与えられるものではなく、選択し、主体的に作っていくものだ。

もちろん、自由に動かせない部分もある。その代表が人口構成だ。10年後から20年後の日本を対象とする限り、これはほとんど所与だ。したがって社会保障の受給者が増えて負担者が減ることも、不可避だ。

しかし、それを所与としたうえでいかなる制度を構築するかは、選択可能なことである。そこでどのような選択をするかこそが重要だ。

それにもかかわらず、日本政府は、この重要な問題に手をつけようとしない。あえて選択を放棄しているとしか考えようがない。

技術についてもそうだ。技術予測の多くは、何年後にどのような技術が実用化されるかという予測を行なっている。確かにそうした情報は有用だ。

しかし、すべての技術をよしとするのでなく、その中から選択することが必要だ。例えば、エネルギー技術として、再生可能エネルギーと原子力の比率をどうしていくかは、

重要な選択の問題だ。

経済政策や企業の事業展開、そして国民一人ひとりの仕事の進め方いかんによって、未来の経済の姿は大きく変わる。

だから、諦めてはいけない。未来に黄金時代を再現するのは、決して不可能なことではないのだ。

実際、一度衰退しかけて、復活した国がある。1980年代に衰退したアメリカが、何よりの実例だ。日本も、過去のような経済大国ではないとしても、豊かでひとびとが幸せに暮らせる社会を将来に実現することができる。それは、高度成長期の日本より充実して幸せな生活を送れる社会かもしれない。

政治と行政の「近視眼的バイアス」をどう克服する?

未来は積極的に作るものであり、変えることができると信じながら、しかし、本書においては、日本が復活するイメージを明確な形で提案できなかった。これは誠に残念なことだ。

そうできなかったのは、政治家や官僚が未来に対してまったく無責任であると、日々のニュースによって思い知らされているからだ。

多くの政治家にとって、つぎの選挙で当選するかどうかが最大の（多くの場合に、唯一の）関心事だ。20年後の日本がどうなっていようが、まったく関心がない。

官僚にも同じようなバイアスがある。あるポジションに在職中は、それに関連して事態が悪化しないように努めるが、在職期間は2、3年間だ。それ以降に、その分野で何が起ころうが、関心はない。

こうした事情によって、政治や行政は、今後2、3年のことしか考えていない。つまり、著しい「近視眼的バイアス」（myopic bias）がある。

その結果、財源の裏づけがない「バラマキ施策」が人気取りのために行なわれる。

コロナ禍では、さまざまな給付金や補助金が支出された。それらのほとんどが、国債発行によって賄われた。また、雇用情勢の悪化を防ぐために、雇用調整助成金の支払い条件が大幅に緩和された。最初は数カ月間の緊急措置として行なわれたものが、いつになっても停止できず、２０２２年9月末までの支給決定額は6兆円を超えた。このうち約3兆円は、失業者に支払う「失業等給付」の積立金からの借入れだ。その返済には、30年超の期間がかかると言われる。

2022年になってからは、ガソリン価格抑制のための補助金制度が導入された。これも最初は短期間の臨時措置だったのだが、停止できず、12月末までに累計3兆円を超える支出がなされた。さらに、総合経済対策によって電気とガス料金抑制の補助金制度が新たに導入された。両者を合わせると、防衛費並みの規模の支出が必要になる。そして、円レートが2021年以前の水準に戻らない限り、いつまでも補助金が停止できなくなるおそれがある。

社会保障については、第4章で述べたように、きわめて深刻な財源問題が予想される。それにもかかわらず、ほとんど何の手当もなされていない。それは、問題が顕在化するのが遠い将来のことだからだ。このように、現在の世代は、将来の世代に対して、耐えられないほど大きな負担を残そうとしているのである。

こうしたバイアスは、どうしたら矯正できるのだろうか？

基本的には、すべての国民が、未来の問題を自分自身のこととして意識するしかない。

そして、必要な政策を政治や行政に求めることだ。例えば、社会保障制度の改革が選挙の際の争点として取り上げられなければ、それを争点とするよう求めることだ。

われわれは、未来の世代に対する責任を果たしているか？

１９３０年代後半から40年代前半に日本を背負っていた世代は、日本を無謀な戦争に引きずり込んだあげく、われわれを「焼け跡」という廃墟の中に投げ出した。われわれは、そのことに強い怒りを抱いていた。

われわれより少し上の世代が、日本を再建した。われわれの世代は、下働きとしてそれを手伝っただけだが、未曽有の経済成長という成功体験を共有した。

では、われわれの世代は、未来への責任を果たしたか？

残念ながら、失敗した。それは、日本円の実質的な価値が、１９９５年からの約30年間でほぼ3分の1に下落したという事実が、何よりも雄弁に物語っている。世界における日本の地位は、いまや、１９７０年代にまで逆戻りしてしまった。

われわれの世代はまた、次世代の教育を怠った、その結果、日本人の資質が目もあてられないほど劣化した。

こうした問題があるにせよ、われわれはまだ臨界点を越えてはいないと信じている。つまり、現在の日本の状況は、まだ修復可能な段階にあると思う。そうであれば、われわれは一刻も早く日本の再建に全力を尽くすべきだ。

〈図表目次〉

ら

A～Z

な

は

ま

や

た

さ

索引

著者略歴

野口悠紀雄《のぐち・ゆきお》

一九四〇年東京生まれ。
六三年東京大学工学部卒業、六四年大蔵省入省。
七二年エール大学Ph.D.(経済学博士号)を取得。
一橋大学教授、東京大学教授、スタンフォード大学客員教授、
早稲田大学大学院ファイナンス研究科教授などを経て、一橋大学名誉教授。
専攻は、ファイナンス理論、日本経済論。
著書に『情報の経済理論』(東洋経済新報社、日経・経済図書文化賞)、
『財政危機の構造』(東洋経済新報社、サントリー学芸賞)、
『バブルの経済学』(日本経済新聞社、吉野作造賞)などがある。

・ツイッター　https://twitter.com/yukionoguchi10
・野口悠紀雄Online　https://www.noguchi.co.jp
・note　https://note.com/yukionoguchi/

幻冬舎新書 681

2040年の日本

二〇二三年一月二十日　第一刷発行
二〇二三年三月　十　日　第五刷発行

著者　野口悠紀雄
発行人　見城　徹
編集人　小木田順子
編集者　四本恭子

発行所　株式会社　幻冬舎
〒一五一―〇〇五一　東京都渋谷区千駄ヶ谷四―九―七
電話　〇三―五四一一―六二一一（編集）
〇三―五四一一―六二二二（営業）
公式HP https://www.gentosha.co.jp/

ブックデザイン　鈴木成一デザイン室
印刷・製本所　中央精版印刷株式会社

検印廃止

Printed in Japan　ISBN978-4-344-98683-1 C0295
の-3-2

＊この本に関するご意見・ご感想は、左記アンケートフォームからお寄せください。
https://www.gentosha.co.jp/e/